les maisons des hommes

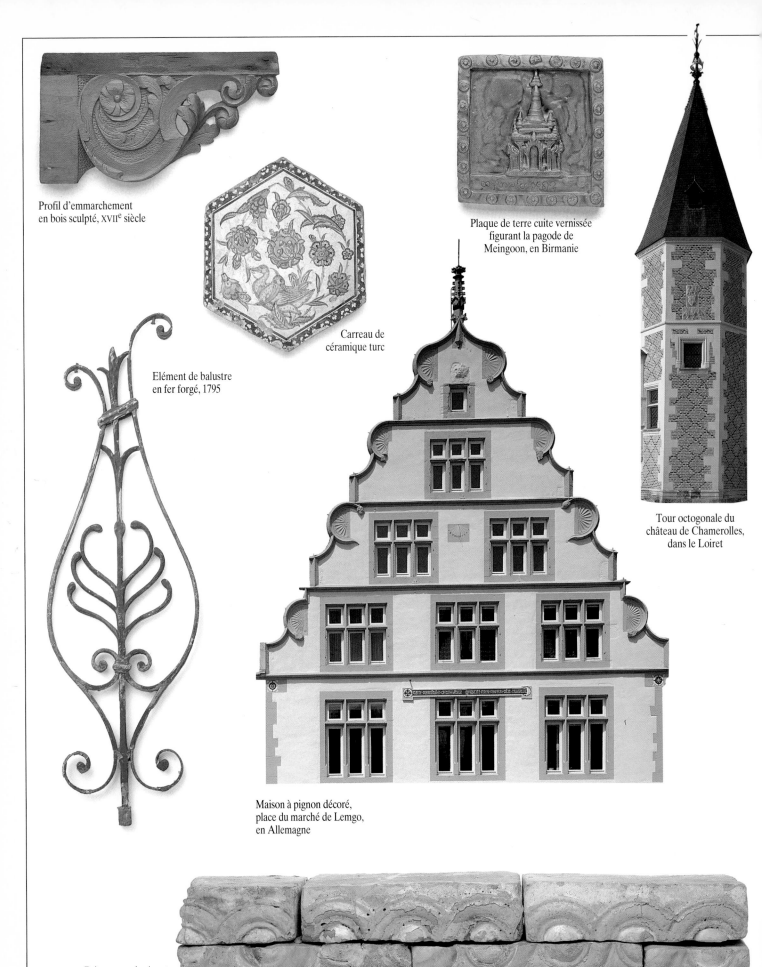

Profil d'emmarchement
en bois sculpté, XVIIe siècle

Carreau de
céramique turc

Plaque de terre cuite vernissée
figurant la pagode de
Meingoon, en Birmanie

Elément de balustre
en fer forgé, 1795

Tour octogonale du
château de Chamerolles,
dans le Loiret

Maison à pignon décoré,
place du marché de Lemgo,
en Allemagne

Briques moulurées et
vernissées d'un temple en
Mésopotamie, VIe siècle av. J.-C.

Gargouille gothique
représentant un homme
coiffé d'un béret

les maisons des hommes

par

Philip Wilkinson

Photographies originales de Dave King
et Geoff Dann

Gargouille gothique
d'un moine
sous un capuchon

Poinçon de quatre aisselliers courbes,
utilisé pour supporter un toit

Fenêtre avec bâti en fer
forgé, XVIᵉ siècle

Vitrail de l'époque victorienne

GALLIMARD

Maquette de maison géorgienne,
Bath, Angleterre

Tuiles
en écailles
de poisson

Couvre-joint
de porte, en bois,
fin du XVIIIe siècle

Comité éditorial

Londres :

Simon Adams, Céline Carez, Julia Harris, Cynthia Hole,
Djinn von Noorden, Manisha Patel, Catherine Semark

Paris :

Christine Baker, Catherine Destephen,
Manne Héron, Jacques Marziou

Édition française préparée par
Frédéric Morvan

Publié sous la direction de

Peter Kindersley,
Jean-Olivier Héron
et
Pierre Marchand

Carreau de céramique
traditionnel de Delft

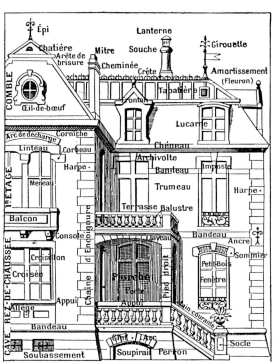

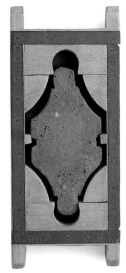

Brique de terre cuite dans
son moule en bois d'origine

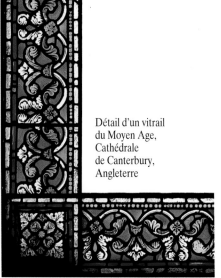

Détail d'un vitrail
du Moyen Age,
Cathédrale
de Canterbury,
Angleterre

Section d'un
tronc de chêne

ISBN 2-07-058693-6
La conception de cette collection est le fruit
d'une collaboration entre les Éditions Gallimard
et Dorling Kindersley.
©Dorling Kindersley Limited, Londres, 1995
©Éditions Gallimard, Paris, 1995, pour l'édition française
Dépôt légal : février 1995. N° d'édition : 70198
Imprimé à Singapour

SOMMAIRE

Maisons en encorbellement

DES MAISONS ET DES HOMMES

Un bâtiment – au sens le plus simple du terme – est une structure permanente possédant des murs et couverte d'un toit. Les maisons, les écoles, les usines, les temples, les immeubles de bureaux, etc., en font tous partie, au même titre que les étables ou les porcheries : la forme d'un bâtiment dépend généralement de sa destination. Cette forme est également fonction des moyens technologiques dont disposent ses bâtisseurs, ainsi que des matériaux, des contraintes du site, des traditions, de l'histoire même de chaque type de bâtiment. Il ne faudrait pas réduire un édifice à la simple protection contre l'extérieur ; son confort et sa décoration sont des gages de bien-être essentiels à l'homme. De plus, comme les styles de l'architecture, les manières d'habiter et les techniques de construction évoluent sans cesse, ils sont pour nous de précieux témoins du passé.

À LA FORCE DES BRAS
La construction d'un bâtiment suppose généralement la mise en œuvre de matériaux lourds. Les bâtisseurs du Moyen Age ont mis au point des machines pour les élever, comme l'écureuil (roue en bois, ci-dessus) servant à hisser des blocs de pierre sur une tour. De nos jours, l'énergie électrique a remplacé la force de l'homme ou de l'animal.

Elévation de façade d'une maison de la fin du XIXᵉ siècle

Coupe transversale de la même maison

DU PROJET À LA RÉALISATION
Les architectes dessinent les plans des bâtiments et les soumettent au commanditaire. S'ils sont acceptés, et financés, la construction peut alors commencer. L'élévation représente les façades, la coupe permet de voir la structure interne, en particulier les niveaux et la charpente du toit. A ces deux types de dessins s'ajoutent bien entendu les plans de chaque niveau. D'autres, plus détaillés, précisent les particularités de la structure.

DE BRIQUES ET DE BLOCS
La terre, en particulier cuite sous forme de briques ou de tuiles, est un matériau essentiel de construction. Dans le monde occidental, la terre cuite est généralement rouge mais, selon l'argile employée, il existe d'importantes variations dans sa couleur. A partir de la révolution industrielle à la fin du XVIIIᵉ siècle et au XIXᵉ, les briques ont été produites mécaniquement et ont servi à édifier des multitudes de blocs de maisons toutes identiques, comme ici à New York.

Toit à débords protégeant les murs de la pluie et de la neige

Les murs sont réalisés en planchéiage jointif.

Balcon en bois

AU COIN DU BOIS
Il est rare qu'une maison ne comporte aucune pièce de bois. Dans certaines régions où les forêts sont nombreuses et la pierre rare (réservée aux seules cheminées) les maisons sont entièrement réalisées dans ce matériau. Le bois présente sur la brique et la pierre l'avantage d'être plus léger et plus façonnable. Située dans un climat approprié ou protégée par un large toit à débords, comme ce chalet autrichien, une telle maison peut durer des siècles si l'on veille aux importants risques d'incendie.

Les couvreurs utilisent des échelles spéciales.

TRAVAIL D'ÉQUIPE

Un bâtiment est le fruit de la collaboration entre l'architecte qui le dessine et l'ensemble du corps de métier qui le construit : appareilleurs qui surveillent la pose des briques ou des pierres, maçons, terrassiers, charpentiers qui réalisent les structures en bois, vitriers qui installent les vitrages… Ci-contre à gauche, des couvreurs posent un voligeage avant la mise en place de tuiles.

DES MATÉRIAUX LOCAUX

Dans les régions rurales, les bâtisseurs exploitent les matériaux disponibles à proximité. Ce sont des feuilles de palmier dans le Sud-Est asiatique, du bois en Scandinavie ou des roseaux en Amérique du Sud (ci-contre). La construction de ces huttes, qui obéit à une tradition séculaire, exige une grande dextérité.

ÉCONOMIE D'ÉNERGIE

Les maisons actuelles sont plus rationnelles du point de vue de l'énergie : mieux isolées, mieux chauffées. Dans certaines régions, des panneaux solaires sur les toits sont utilisés pour produire de l'électricité. En outre, on emploie des matériaux dont le coût de production énergétique est peu élevé.

LA PIERRE GARDE LE HAUT DU PAVÉ

Ce palais du Grand Canal, à Venise, illustre parfaitement le prestige de la pierre et les possibilités décoratives qu'elle offre une fois sculptée. L'effet était plus éblouissant encore lorsqu'à l'époque les statues étaient recouvertes de feuilles d'or, ce qui valut à cet édifice le nom de Ca d'Oro, la « maison d'or ». Hormis ces aspects somptuaires, les bâtiments en pierre sont généralement solides et résistent aux outrages du temps.

Remplage en pierre · Couronnement en pierre · Traces de la dorure originale · Balcon en pierre · Parement en pierre

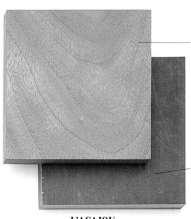

Chêne brut

Chêne égalisé

LE CHÊNE

C'est, en Europe, le bois le plus prisé pour la charpente. Son grain très dense est idéal pour la réalisation des poteaux de fond des murs ou des chevrons. Les poutres de chêne, très lourdes, posent des problèmes de mise en œuvre mais durent des siècles.

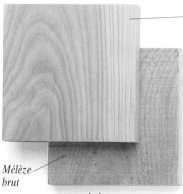

Bois résistant, au grain homogène

Acajou brut

L'ACAJOU

Essence tropicale originaire d'Afrique, d'Amérique du Sud ou d'Extrême-Orient, l'acajou était à l'origine un bois de construction. Exporté massivement vers l'Europe à partir du XVIᵉ siècle, en particulier pour l'ébénisterie, il est devenu rare donc précieux.

Bois aux anneaux de croissance bien visibles

Mélèze brut

LE MÉLÈZE

Les bois tendres à croissance rapide, donc économiques, comme le mélèze, sont employés depuis longtemps dans les régions nordiques qui le produisent. Aujourd'hui, ces conifères sont cultivés intensivement dans le monde et commercialisés pour planchers et huisseries.

LE BOIS DONT ON FAIT LES CONSTRUCTIONS

Le bois est un matériau fréquent dans la construction, aussi bien pour les huisseries (portes et fenêtres) que pour la charpente soutenant la couverture, parfois même pour l'ensemble de la structure. Depuis longtemps les hommes ont appris à reconnaître les qualités respectives des différentes essences dont ils disposent. Le chêne ou l'orme, feuillus à bois dur, étaient autrefois les plus recherchés. De nos jours, les bois tendres, comme les conifères, sont largement employés. Les premiers charpentiers se sont ingéniés à inventer des moyens de lier les pièces de bois, une fois celles-ci découpées et rabotées. Ces assemblages sont, pour certains, toujours utilisés. De même, les outils mis au point au Moyen Âge n'ont guère changé.

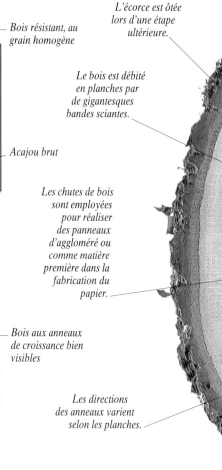

L'écorce est ôtée lors d'une étape ultérieure.

Le bois est débité en planches par de gigantesques bandes sciantes.

Les chutes de bois sont employées pour réaliser des panneaux d'aggloméré ou comme matière première dans la fabrication du papier.

Les directions des anneaux varient selon les planches.

SCIER DE PART EN PART

Il y a diverses manières de transformer un tronc d'arbre en planches ou en poutres. Le procédé le plus courant aujourd'hui, car le plus rentable, et le plus rationnel pour les bois de qualité ordinaire, est celui du sciage de part en part. Les pertes sont ainsi réduites mais, selon le sens de la fibre du bois, les planches peuvent avoir tendance à se gauchir (se déformer). La méthode traditionnelle consiste à équarrir le tronc de façon à obtenir une poutre de section carrée, d'une qualité appelée « cœur enfermé ». Si l'arbre est suffisamment important, il peut être scié en deux pour obtenir deux poutres de section rectangulaire.

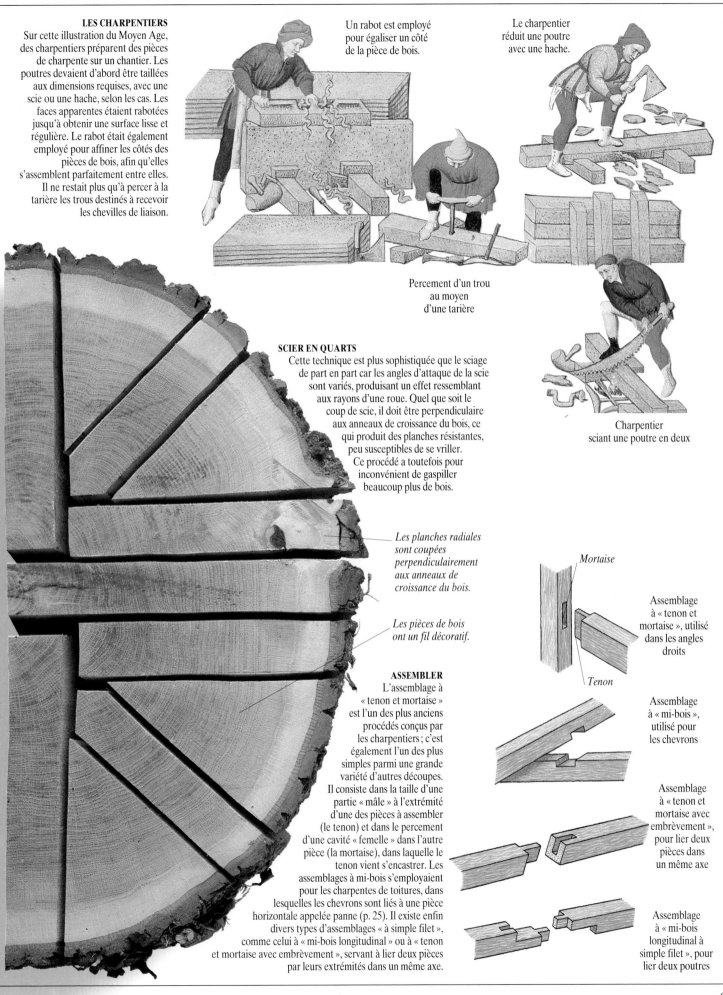

LES CHARPENTIERS
Sur cette illustration du Moyen Age, des charpentiers préparent des pièces de charpente sur un chantier. Les poutres devaient d'abord être taillées aux dimensions requises, avec une scie ou une hache, selon les cas. Les faces apparentes étaient rabotées jusqu'à obtenir une surface lisse et régulière. Le rabot était également employé pour affiner les côtés des pièces de bois, afin qu'elles s'assemblent parfaitement entre elles. Il ne restait plus qu'à percer à la tarière les trous destinés à recevoir les chevilles de liaison.

Un rabot est employé pour égaliser un côté de la pièce de bois.

Le charpentier réduit une poutre avec une hache.

Percement d'un trou au moyen d'une tarière

Charpentier sciant une poutre en deux

SCIER EN QUARTS
Cette technique est plus sophistiquée que le sciage de part en part car les angles d'attaque de la scie sont variés, produisant un effet ressemblant aux rayons d'une roue. Quel que soit le coup de scie, il doit être perpendiculaire aux anneaux de croissance du bois, ce qui produit des planches résistantes, peu susceptibles de se vriller. Ce procédé a toutefois pour inconvénient de gaspiller beaucoup plus de bois.

Les planches radiales sont coupées perpendiculairement aux anneaux de croissance du bois.

Les pièces de bois ont un fil décoratif.

ASSEMBLER
L'assemblage à « tenon et mortaise » est l'un des plus anciens procédés conçus par les charpentiers ; c'est également l'un des plus simples parmi une grande variété d'autres découpes. Il consiste dans la taille d'une partie « mâle » à l'extrémité d'une des pièces à assembler (le tenon) et dans le percement d'une cavité « femelle » dans l'autre pièce (la mortaise), dans laquelle le tenon vient s'encastrer. Les assemblages à mi-bois s'employaient pour les charpentes de toitures, dans lesquelles les chevrons sont liés à une pièce horizontale appelée panne (p. 25). Il existe enfin divers types d'assemblages « à simple filet », comme celui à « mi-bois longitudinal » ou à « tenon et mortaise avec embrèvement », servant à lier deux pièces par leurs extrémités dans un même axe.

Mortaise

Tenon

Assemblage à « tenon et mortaise », utilisé dans les angles droits

Assemblage à « mi-bois », utilisé pour les chevrons

Assemblage à « tenon et mortaise avec embrèvement », pour lier deux pièces dans un même axe

Assemblage à « mi-bois longitudinal à simple filet », pour lier deux poutres

FAIRE MAISON DE TOUT BOIS

Le bois est le matériau de construction polyvalent par excellence. Où les arbres abondent, il est même utilisé pour la structure entière, comme pour les chalets en rondins de Scandinavie. Parfois, la construction a pour principe une charpente de bois ; ce sont les « pans de bois » ou les anciens « pans de bois à cruck » d'Europe, et les plus récentes demeures à ossature en bois d'Amérique du Nord. Ce matériau convient également au bardage extérieur des murs, comme souvent dans les maisons américaines à bardage à clin. La forme d'une pièce de bois oriente souvent sa destination ; c'est ainsi que les troncs deviennent des piliers.

COUVERTE DE PLANCHES
Les maisons à ossature en bois sont fréquentes aux Etats-Unis. Construites sur une structure en bois, leurs murs sont faits de planches assemblées. Ce planchéiage peut être laissé apparent, comme ici à la Paul Revere House, à Boston, ou recouvert d'un matériau décoratif, tel le plâtre ou le stuc. La toiture est elle-même composée de bardeaux de bois.

AU CHAUD !
Les planches de cette maison de Williamsburg, aux Etats-Unis, sont posées horizontalement et clouées à clin. Cette technique offre une protection efficace contre les intempéries et conserve bien la chaleur de l'intérieur.

PAN DE BOIS À CRUCK
C'est le principe le plus ancien de pan de bois. La forme caractéristique de V inversé, visible sur les deux pignons de la maison, est la résultante de deux arbalétriers allant jusqu'au sol et qui sont les deux moitiés d'une même pièce de bois, d'où la symétrie.

Couverture gazonnée résistant aux intempéries

Des mitres couronnent les cheminées et les protègent de la neige et des oiseaux qui viendraient y nicher.

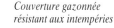

Le mur est composé de troncs qui ont été aplanis sur un côté.

ENGRANGER SANS SOUCIS
Les bâtiments agricoles sont fréquemment bâtis en bois, comme l'illustre cette grange traditionnelle norvégienne. Elevée sur des piliers de bois, ses façades sont ajourées avec un élégant motif géométrique. Ces ouvertures assurent une bonne ventilation, quand les balustres et le large toit débordant protègent de l'humidité.

LUMIÈRE TAMISÉE
Le bois était autrefois
un matériau de construction
courant au Japon : les maisons
traditionnelles avaient de solides
structures en charpente et des toits
à larges débords. Les espaces entre
les montants étaient parfois fermés
par des panneaux coulissants
tendus de papier de riz qui
tamisaient la lumière du soleil.

SUR JAMBES DE BOIS
Sous les tropiques, les habitations
sont souvent surélevées au moyen
de pilotis. Un de leurs avantages
est de les protéger de l'humidité
lors de la saison des pluies, un autre
est de prémunir les habitants contre
les animaux dangereux.
Ci-contre, une grande maison sur
pilotis traditionnelle de Sarawak,
à Bornéo.

*Arbalétrier de
rive sculpté*

*Volets à motifs
de treillis*

DU PIN ET DES RONDINS
Les cabanes de rondins abondent en Scandinavie et en Russie
(ci-dessus), pays couverts de forêts de pins. Fendus sur toute
leur épaisseur, les rondins sont égalisés à la hache et rainurés
à leurs extrémités. Ainsi s'emboîtent-ils parfaitement
aux angles de la construction.

*Tympan sculpté surmontant
la porte d'entrée et portant
la date de la construction*

*Entailles d'assemblage
des rondins en
bordure de travée*

**À L'ABRI
SOUS LES HERBES**
Les maisons
scandinaves en rondins,
comme la ferme ci-
contre, sont parfois
assez imposantes. Il
n'était pas toujours
possible de trouver
des morceaux de bois
suffisamment longs
pour couvrir la façade,
les murs étaient alors
assemblés en plusieurs
travées. Une
couverture en gazon,
posée sur des planches
de sapin, assurait une
solide protection
contre le vent.

*En hiver, les volets
protègent la maison
du vent et de la pluie.*

*Un soubassement, ou
embasement, en pierre
donne à la bâtisse
une base régulière
et horizontale et la
protège de l'humidité.*

LE TOUR DE LA TERRE

La terre s'emploie souvent soit à l'état brut, soit moulée en brique, crue et séchée au soleil (l'adobe) ou cuite dans un four. La terre brute mise en œuvre pour la construction de murs (le torchis) est mélangée à de la paille hachée, une faible quantité de chaux faisant office de liant et éventuellement du sable ou du gravier pour en augmenter la résistance. Le mur peut, de cette manière, progresser par assises successives alors que la terre est encore humide. On utilise aussi ce mélange séché entre des « banches en planches », selon la technique du pisé. Aujourd'hui, la terre sert principalement à la fabrication des briques et des tuiles, solides, durables et bien plus légères que l'argile crue ou la pierre. Leur fabrication industrielle leur donne une grande uniformité qui permet une construction régulière.

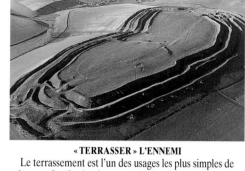

« TERRASSER » L'ENNEMI
Le terrassement est l'un des usages les plus simples de la terre. Les levées de terre et les fossés avaient un rôle défensif et dissuasif, comme dans le cas de l'ancienne forteresse de Maiden Castle, dans le sud de l'Angleterre. Les éventuels ennemis devaient également franchir une palissade de pieux en bois qui couronnait le niveau supérieur. A une moindre échelle, les terrassements pouvaient servir à soutenir une structure en pierre, comme pour les maisons de Skara Brae dans les Orcades (p. 16).

BÉTON ANTIQUE
En employant une terre volcanique, la pouzzolane, avec des débris de brique ou des graviers, les Romains ont inventé le premier béton. Ils s'en servaient pour la construction de voûtes, d'arcs ou de fours comme ici, à Pompéi.

DES BRIQUES POUR UN PALAIS
Au IXe siècle, le calife Mu'tasim se fit édifier un palais en brique crue séchée au soleil à Samarra, en Irak. La salle du trône était magnifique avec ses hautes voûtes en brique.

UNE VRAIE RUCHE !
Certaines régions de Syrie sont connues pour la forme de leurs anciennes maisons de terre apparentée à celle d'une ruche. Chaque assise de brique encore crue était mise en œuvre dès que la précédente en place avait séché. Au fur et à mesure qu'on se rapprochait du sommet, les assises étaient de plus en plus étroites pour former une pointe. Le gros œuvre achevé, on lissait la surface avec de la glaise humide.

Détail d'appareil en brique, Mésopotamie, VIe siècle av. J.-C.

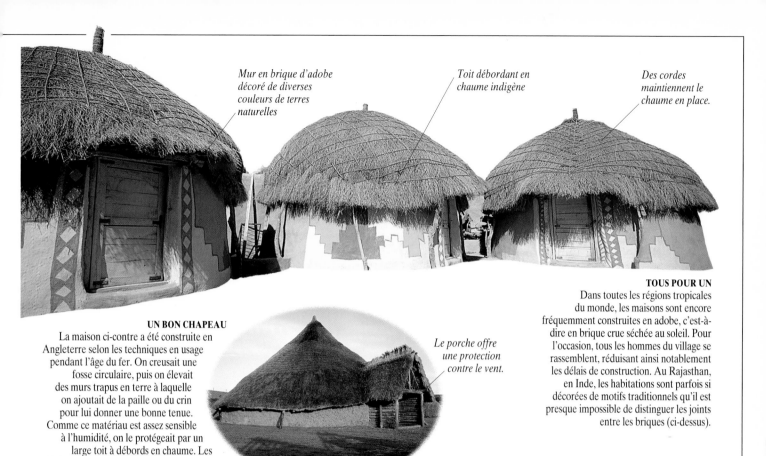

Mur en brique d'adobe décoré de diverses couleurs de terres naturelles

Toit débordant en chaume indigène

Des cordes maintiennent le chaume en place.

UN BON CHAPEAU

La maison ci-contre a été construite en Angleterre selon les techniques en usage pendant l'âge du fer. On creusait une fosse circulaire, puis on élevait des murs trapus en terre à laquelle on ajoutait de la paille ou du crin pour lui donner une bonne tenue. Comme ce matériau est assez sensible à l'humidité, on le protégeait par un large toit à débords en chaume. Les bâtisseurs avaient coutume de dire qu'un mur en terre avait besoin d'un « bon chapeau ».

Le porche offre une protection contre le vent.

TOUS POUR UN

Dans toutes les régions tropicales du monde, les maisons sont encore fréquemment construites en adobe, c'est-à-dire en brique crue séchée au soleil. Pour l'occasion, tous les hommes du village se rassemblent, réduisant ainsi notablement les délais de construction. Au Rajasthan, en Inde, les habitations sont parfois si décorées de motifs traditionnels qu'il est presque impossible de distinguer les joints entre les briques (ci-dessus).

LA FABRICATION DES BRIQUES

Depuis plus de six mille ans, l'argile est utilisée pour fabriquer des briques. À l'origine, l'argile humide était façonnée dans des moules en bois sans fond. Le moule retiré, la brique séchait au soleil. Mais on apprit à mettre à profit les progrès effectués dans les techniques de la poterie afin de cuire les briques dans des fours. La température de cuisson élevée et le vernissage assuraient à la brique une meilleure imperméabilité.

Fabrication des briques d'adobe dans des moules en bois, à Kano, au Nigeria

Briques d'adobe employées pour une construction près du plateau de Jos, au Nigeria

Cuisson de briques dans un four à Louxor, en Egypte

VERNIS EN MÉSOPOTAMIE

Certaines des briques les plus anciennes furent produites en Mésopotamie, l'actuel Irak, qui vit surgir les premières grandes cités. Elles étaient parfois fabriquées dans des moules aux formes diverses qui permettaient d'obtenir des motifs raffinés. Celles-ci, provenant d'un temple du VIe siècle av. J.-C., étaient vernissées et cuites au four pour leur assurer une bonne résistance à l'humidité. Le motif en relief ressortait sur le mur extérieur du temple.

Les briques moulurées revêtaient les murs extérieurs des temples.

DE BRIQUE EN FABRIQUE

La brique est résistante, d'une bonne longévité et adaptée à la fabrication en série. Elle prend généralement des formes et des formats standardisés qui la rendent plus facile à mettre en œuvre que des blocs de pierre. Elle est fonctionnelle et se prête à tous les jeux décoratifs selon sa couleur et l'appareillage choisi, c'est-à-dire la façon de la poser. Autrefois, on la produisait à proximité du chantier ; l'argile était extraite de la carrière, puis travaillée dans un broyeur jusqu'à la consistance désirée. Placée ensuite dans des moules en bois, la terre était cuite dans un four jusqu'au durcissement parfait. La révolution industrielle a radicalement modifié cet artisanat : la demande croissante en briques, pour la construction d'usines et d'immeubles, a conduit à une production de masse et à la concentration des centres de fabrication.

Croix de Saint-André en bois

HOURDIS PETIT !
Certaines maisons en charpente de bois ont leurs murs comblés par des hourdis en brique. Celle-ci étant plus lourde que les autres matériaux de remplissage, tel le torchis (p. 21), la structure de la charpente doit être particulièrement résistante. La plupart des bâtiments édifiés de cette manière se sont affaissés avec le temps. Pour prévenir de tels accidents, les maçons à l'origine de cette maison allemande ont renforcé la structure avec des croix de Saint-André.

UN TRAVAIL DE MAÇON
Tandis qu'un maçon se charge du travail noble de la pose des briques en assises régulières et horizontales, un manœuvre mélange du sable et de la chaux pour préparer du mortier. Il lui revient également de porter les briques au maçon, à l'aide de la hotte au pied du mur.

L'ART DE L'APPAREIL
Les briques peuvent être posées de différentes manières, selon l'orientation de leurs « bouts » et de leurs « chants ». Aujourd'hui, l'appareil double, régulier, allongé (ou en panneresses) est le plus commun : tous les chants sont visibles. D'autres offrent des motifs plus décoratifs, comme celui qui alterne des rangs de chants et de bouts, ou l'appareil harpé (flamand) qui offre en contraste sur une même assise chants et bouts, et eut une certaine vogue à partir du XVIIᵉ siècle.

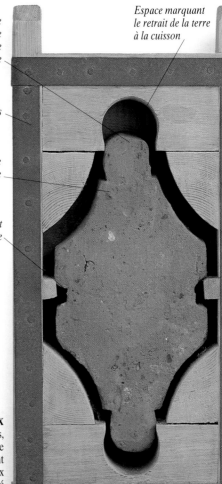

Espace marquant le retrait de la terre à la cuisson

Partie arrondie permettant de créer une moulure en façade

Moule en bois

Brique décorative

Gorge servant à fixer la vitre

Appareil en panneresses

Appareil harpé (flamand)

Appareil en panneresses et boutisses

DES EFFETS SPÉCIAUX
Selon les moules en bois utilisés, on donne aux briques une multitude de formes. Les Romains déjà moulaient des volutes et parfois même des chapiteaux corinthiens en brique. Celle ci-contre a été replacée dans son moule afin que l'on puisse mesurer la contraction que subit la terre lors de la cuisson. Ce type de brique est utilisé pour réaliser les montants verticaux, appelés meneaux, qui séparent une baie vitrée en deux.

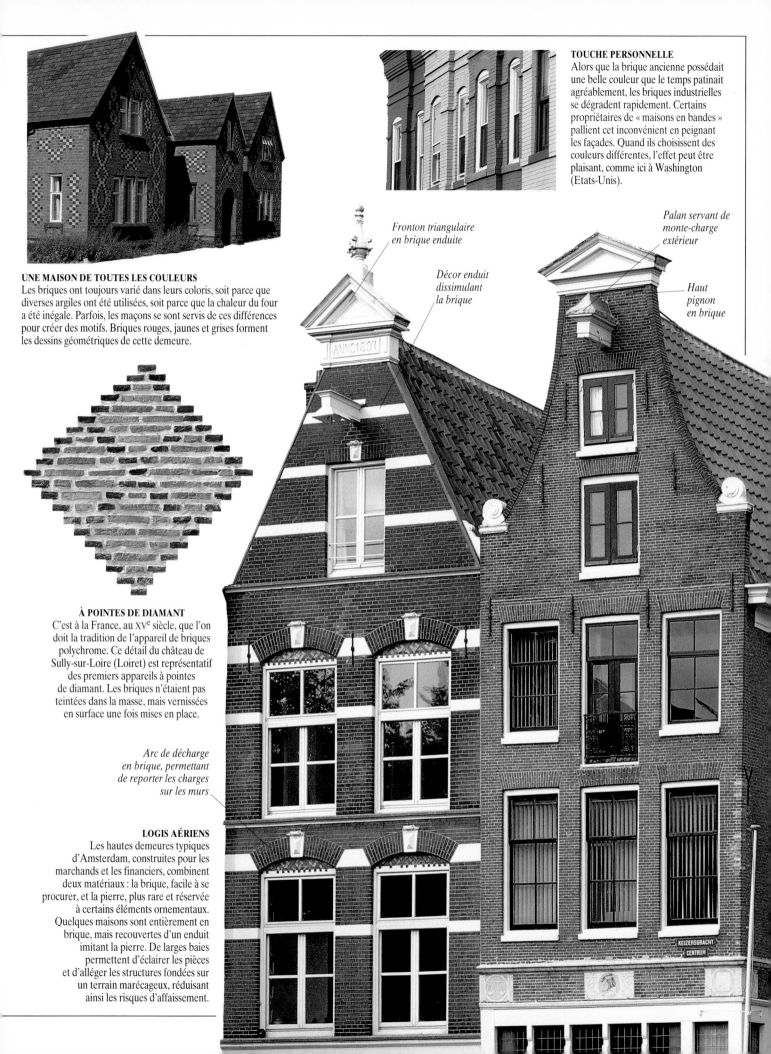

TOUCHE PERSONNELLE
Alors que la brique ancienne possédait une belle couleur que le temps patinait agréablement, les briques industrielles se dégradent rapidement. Certains propriétaires de « maisons en bandes » pallient cet inconvénient en peignant les façades. Quand ils choisissent des couleurs différentes, l'effet peut être plaisant, comme ici à Washington (Etats-Unis).

UNE MAISON DE TOUTES LES COULEURS
Les briques ont toujours varié dans leurs coloris, soit parce que diverses argiles ont été utilisées, soit parce que la chaleur du four a été inégale. Parfois, les maçons se sont servis de ces différences pour créer des motifs. Briques rouges, jaunes et grises forment les dessins géométriques de cette demeure.

Fronton triangulaire en brique enduite

Décor enduit dissimulant la brique

Palan servant de monte-charge extérieur

Haut pignon en brique

À POINTES DE DIAMANT
C'est à la France, au XVᵉ siècle, que l'on doit la tradition de l'appareil de briques polychrome. Ce détail du château de Sully-sur-Loire (Loiret) est représentatif des premiers appareils à pointes de diamant. Les briques n'étaient pas teintées dans la masse, mais vernissées en surface une fois mises en place.

Arc de décharge en brique, permettant de reporter les charges sur les murs

LOGIS AÉRIENS
Les hautes demeures typiques d'Amsterdam, construites pour les marchands et les financiers, combinent deux matériaux : la brique, facile à se procurer, et la pierre, plus rare et réservée à certains éléments ornementaux. Quelques maisons sont entièrement en brique, mais recouvertes d'un enduit imitant la pierre. De larges baies permettent d'éclairer les pièces et d'alléger les structures fondées sur un terrain marécageux, réduisant ainsi les risques d'affaissement.

FAIRE D'UNE PIERRE DEUX COUPS... ET PLUS

La pierre offre aux constructions une belle apparence, de multiples possibilités de décor sculpté et une grande longévité. Mais elle est difficile à extraire, à tailler, à transporter et on ne peut pas toujours en disposer à son gré. Dans de nombreuses régions elle est réservée aux édifices les plus prestigieux. Des granits les plus durs aux calcaires les plus tendres, des rognons de silex aux galets des plages, toutes ces pierres propres au bâtiment offrent des aspects différents. La manière de les travailler a également une influence sur l'apparence de la bâtisse. Les pierres dures, comme le silex, sont appareillées en blocs irréguliers avec de larges joints en mortier. Les pierres tendres, comme le calcaire, sont taillées et agencées sans joints visibles.

EN BONNE FORME
Ces maçons yéménites taillent des blocs de pierre déjà dégrossis afin de leur donner la forme adaptée à la construction d'un mur. Ils ont tendu une corde de niveau pour s'assurer que les assises sont bien horizontales.

C'EST DU SOLIDE !
La construction en pierre a des origines très lointaines dans les régions où aucun autre matériau n'était disponible. Entre 3100 et 2500 av. J.-C., une tribu néolithique de l'archipel des Orcades, au nord de l'Ecosse, a bâti un petit village appelé Skara Brae. Les murs des maisons, protégés par des talus de terre, sont en pierre locale. Ces hommes disposaient de si peu de bois que tout, jusqu'aux lits, a été fabriqué en pierre.

LES GRANDES PYRAMIDES
La plus élevée des pyramides d'Egypte, édifiée à Gizeh pour le pharaon Chéops vers 2550 av. J.-C., était essentiellement composée de blocs de calcaire pesant chacun deux tonnes et demie en moyenne ! Le calcaire était extrait à proximité. Le granit, qui constituait une partie de l'intérieur, devait être convoyé par bateau sur le Nil, depuis Assouan, 800 kilomètres en amont.

Gangue à grain fin

Cristaux de quartz gris

Fragments de grès sombres et anguleux

La couleur rose est donnée par du feldspath.

LE CALCAIRE
Cette roche sédimentaire est la résultante de la décomposition d'alluvions marines, vestiges des océans qui couvraient la planète. Il en existe de nombreuses variétés, depuis la craie, blanche et friable, jusqu'aux durs calcaires carbonifères. Sa couleur varie selon les impuretés qu'il contient ; ainsi, le fer lui donne une coloration orangée. Plus tendre que le granit, le calcaire est facile à tailler mais supporte mal la pollution atmosphérique. La plupart des détails sculptés des églises et des cathédrales médiévales sont en calcaire.

LE GRANIT
C'est une roche ignée formée il y a des millions d'années lors de phénomènes éruptifs produisant une température et une pression intenses. Il en résulte l'une des pierres les plus denses, donc les plus dures, difficile à travailler mais d'une longévité exceptionnelle. Le granit est très bien adapté aux constructions qui requièrent une résistance particulière, comme les dalles couvrant la chambre royale dans la Grande Pyramide. Insensible à l'humidité et à la pollution, il convient parfaitement à la construction urbaine et aux phares, par exemple.

L'ARDOISE
Roche métamorphique, l'ardoise est le résultat de l'exposition d'autres roches existantes à d'intenses chaleurs et pressions. Elle se débite facilement en fines plaques. Cette finesse, sa légèreté et son imperméabilité font d'elle un matériau de couverture idéal. L'ardoise est parfois employée comme revêtement de sol et de façade.

Fines particules sombres de carbone

LE GRÈS
Cette pierre contient des cristaux de quartz enrobés dans une gangue plus ou moins compacte. Du rose au vert, les grès prennent des teintes très variées. Les plus durs sont de bons matériaux de construction, plus résistants à la pollution que le calcaire mais plus faciles à tailler que le granit.

À CHACUN SA PEINE
L'enluminure d'un manuscrit irlandais du XIIIᵉ siècle (ci-contre) illustre parfaitement les différents corps de métiers au sein de la maçonnerie que l'on pouvait rencontrer sur un chantier. En bas à droite, un tailleur travaille à la hache une pièce longue, probablement un linteau, partie supérieure d'une baie ou d'une porte. Un manœuvre, à gauche, se sert d'une poulie pour élever les pierres au niveau requis. Au fur et à mesure de la construction, un maçon, comme celui qui se tient sur le mur à gauche, vérifie le niveau des assises. Les sculpteurs interviendront en dernier pour réaliser les décors.

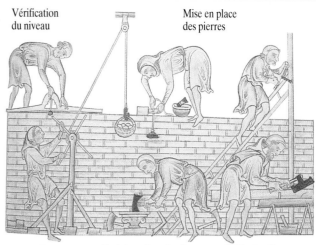

Vérification du niveau · Mise en place des pierres

Levage des pierres · Sculpture d'un chapiteau · Taille d'un linteau

DE GRANDS DESSEINS
Pour les grandes réalisations du XVIIIᵉ siècle, la pierre est le matériau roi. Elle se prête parfaitement au décor sculpté classique : statues, balustrades, frontons, etc. C'est également le seul matériau dans lequel on puisse tailler des colonnes colossales, comme celles du fronton de la villa Pisani, à Stra, en Italie.

Petits grains de quartz

LA PIERRE CONTEMPORAINE
De nos jours, l'extraction et la taille de la pierre demandent un tel travail qu'elle est utilisée en quantités réduites et comme matériau de revêtement plutôt que structurel. Mais pour les propriétaires qui en ont les moyens, la pierre reste le meilleur garant d'une construction élégante et durable, comme cette résidence royale à Bahreïn (Moyen-Orient).

À LA BONNE TAILLE
Pour égaliser un grand bloc de pierre, deux hommes utilisent une « scie à araser à quatre mains », comme le montre cette enluminure italienne du XIᵉ siècle.

LE MARBRE
Fort prisée durant l'Antiquité, tant par les Grecs que par les Romains, cette roche métamorphique est relativement facile à tailler et à polir. Elle revêt une multitude de textures et de coloris. En Inde, on a utilisé des marbres de teintes diverses pour composer des pavements décoratifs (p. 60). A la Renaissance, cette pierre fut employée très largement, en particulier pour la réalisation de colonnes monolithes.

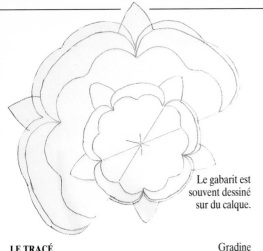

Le gabarit est souvent dessiné sur du calque.

DES PIERRES DE TAILLE POUR L'ORNEMENT

La pierre sculptée entre dans le décor architectural de nombreuses cultures, du moins de celles qui disposaient de carrières. Temples égyptiens, grecs ou hindous, cathédrales, sanctuaires bouddhiques en comportent tous. Du granit le plus dur au calcaire le plus tendre, les types de pierre les plus variés ont été employés. S'il est plus rare de nos jours d'utiliser cette technique, l'art de la taille de la pierre s'est maintenu et les tailleurs se servent d'outils très proches de ceux de leurs prédécesseurs du Moyen Âge.

LE TRACÉ
Avant la taille proprement dite, l'appareilleur réalise un dessin, ici celui d'une rose Tudor. Le support en est le calque, ainsi il pourra être facilement reporté sur la pierre.

Gradine de 1,25 cm

Ciseau de 2,5 cm

Ciseau de 1,25 cm pour un travail plus fin

Gouge, pour ciseler

Rifloir, ou double lime, donnant la douceur à la taille

Maillet, ou massette, servant à frapper griffes et ciseaux

Niveau réglable

Equerre servant à mesurer la profondeur des parties taillées

LA PANOPLIE DE L'ARTISAN
Le tailleur de pierre dispose de nombreux outils spécifiques : gradines, gouges, ciseaux. Pour entamer la pierre, il les frappe avec un maillet, ou massette. Il emploie en premier la gradine qui équarrit grossièrement la surface du bloc en y laissant la trace de ses dents, ensuite des ciseaux de largeurs différentes selon la finesse du dessin à reproduire. Les gouges servent à creuser des dépressions courbes, les rifloirs (limes) permettent d'achever le travail le plus fin, les détails de sculpture et la finition des surfaces.

Marques de la gradine

L'ÉBAUCHE
Une fois le dessin reproduit sur le bloc équarri, ce dernier est taillé grossièrement avec une gradine. La pierre est entamée depuis les quatre angles afin de faire apparaître le motif. Les ciseaux sont utilisés pour la taille plus fine.

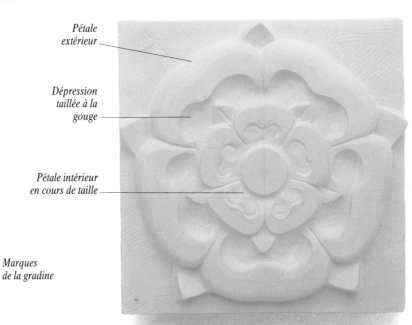

Pétale extérieur

Dépression taillée à la gouge

Pétale intérieur en cours de taille

LE DÉTAIL
Le tailleur se sert d'une gouge pour tailler les courbes en creux qui définissent la forme des pétales. Une fois les contours et les dépressions achevés, les marques de la gradine ont totalement disparu.

AU TRAVAIL !

Les tailleurs et sculpteurs de cette enluminure de manuscrit du XVᵉ siècle sont dus à Jean Fouquet. Le carrier, à gauche, prépare un bloc en l'équarrissant, c'est-à-dire en lui donnant une forme régulière. A droite, le sculpteur travaille une statue et les tailleurs creusent les éléments moulurés de l'arche d'un porche ou forment une mortaise dans la face supérieure d'une pierre déjà taillée, ce qui permettra de la lier parfaitement à la pierre qui s'ajustera au-dessus.

Equarrissage d'une pierre
avec un pic

Sculpture d'une statue
au ciseau

Moulure en creux
à l'aide d'un pic

Taille d'une mortaise
au ciseau

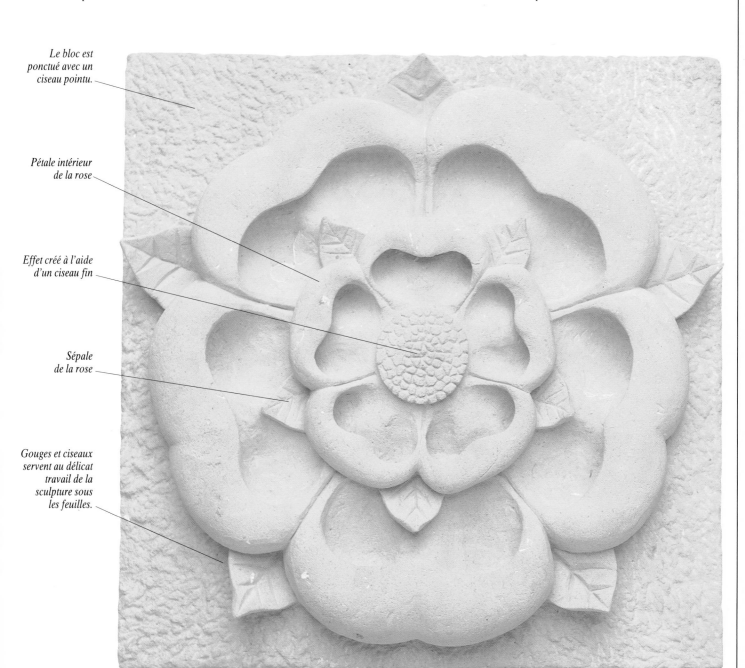

Le bloc est ponctué avec un ciseau pointu.

Pétale intérieur de la rose

Effet créé à l'aide d'un ciseau fin

Sépale de la rose

Gouges et ciseaux servent au délicat travail de la sculpture sous les feuilles.

« LA ROSE QUI CE MATIN A ÉCLOSE »
La couronne intérieure de pétales, le centre et les sépales sont achevés. Pour réaliser cet ouvrage délicat, il a fallu utiliser le rifloir. Le fond, aux quatre angles, a reçu un traitement plus grossier pour que la rose se dégage mieux.

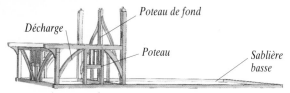

LA PREMIÈRE TRAVÉE

Les pièces horizontales inférieures, les sablières basses, sont posées sur un embasement. Les montants sont alors assemblés. D'abord les poteaux de fond qui déterminent les travées, ensuite les pièces secondaires, poteaux de remplissage, avec les transversales, les décharges. Enfin, on met en place les pièces horizontales, sablières du plancher du premier niveau.

LA DEUXIÈME TRAVÉE

Le travail se poursuit par la pose des pièces reliant les travées entre elles. Des écharpes sont ajoutées pour fixer les longs côtés parallèles de la structure. Ces contreventements forment des croisillons. La deuxième travée est ainsi assemblée, y compris les éléments comme les bâtis de portes.

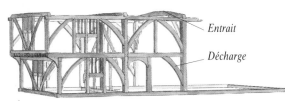

L'ÉTAGE

La charpente du rez-de-chaussée fournit une plate-forme pour assembler le premier étage. Il se compose de poteaux verticaux et d'écharpes ou de guettes (pièces obliques). La structure est en encorbellement. Des « corbeaux » soutiennent le débordement. Les pièces du plancher sont assemblées dans la première travée, la seconde étant laissée sans division horizontale.

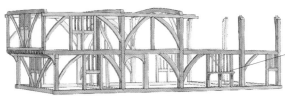

LES TROISIÈME ET QUATRIÈME TRAVÉES

Comme précédemment, les meneaux, pièces verticales des baies, sont assemblés dès l'origine dans la structure elle-même. Lors de la construction, les pièces verticales doivent être maintenues par des pièces obliques provisoires que l'on ôte une fois les écharpes et les décharges assemblées.

LES ARBALÉTRIERS

La construction de la charpente de la toiture débute par la pose des entraits horizontaux et des arbalétriers, principales pièces obliques qui déterminent les « fermes ». Ces dernières partent des poteaux de fond, c'est-à-dire de la jonction entre deux travées. Le moment est venu de poser le long sous-faîtage qui relie entre elles les fermes. Ces lourdes pièces de bois devaient être élevées au moyen de cordes et de poulies.

PETIT À PETIT, LE LOGIS S'ÉDIFIE

Les maisons, structures complexes et coûteuses, exigent une conception soignée. La mise en œuvre implique des investissements importants en moyens et en hommes. La première étape est celle des plans d'ensemble et de détail. Le site doit également être préparé et nivelé. Le gros œuvre est construit en même temps que les réseaux, tel l'assainissement. Ce n'est qu'une fois la structure achevée que l'on peut s'attaquer aux finitions et au décor. On peut suivre les étapes de la construction à partir de l'exemple d'une maison médiévale en charpente, ou « pan de bois ». Dans ce cas, les pièces de charpente sont assemblées une à une en place, travée par travée. Une autre méthode consisterait à assembler sur le sol plusieurs pièces entre elles et à les mettre en œuvre ensuite.

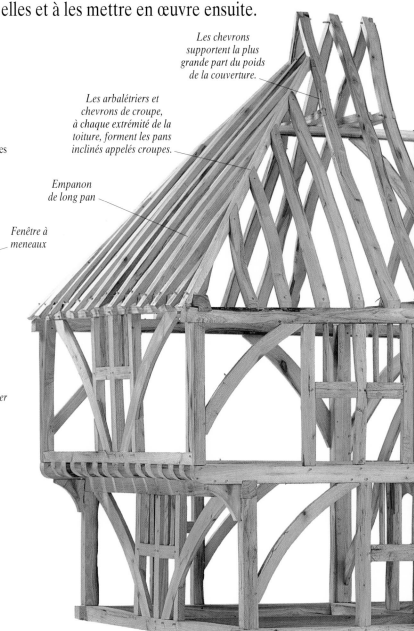

HOURDIS, LATTIS ET TORCHIS

Au Moyen Age, le lattis (fines lattes de noisetier ou de chêne croisées sur des baguettes de chêne) composait le matériau de base des hourdis. Cette vannerie était ensuite placée entre les pièces principales de la charpente des murs, et le torchis (mélange d'argile, de bouse et de paille hachée) appliqué de chaque côté du treillis. Après séchage, il fallait recouvrir l'ensemble de plâtre pour pouvoir le peindre.

Barreau en chêne   *Lattis*   *Torchis*   *Plâtre*

TOUS À L'ŒUVRE !

Cette gravure du XVIe siècle illustre le travail de charpentiers assemblant une maison en charpente. Pendant qu'un groupe d'ouvriers élève une lourde poutre au moyen d'une corde et d'une poulie, deux autres scient de concert une pièce de bois. Un dernier, perché sur un poteau de fond, se sert d'un marteau pour assujettir un arbalétrier.

VENEZ PENDRE LA CRÉMAILLÈRE !

Les espaces entre les pièces de charpente sont remplis avec des hourdis de torchis, un mélange de terre et de paille maintenu par un lattis. Le toit à deux versants et à croupes est couvert de tuiles. Une fois le gros œuvre hors d'eau, les travaux d'aménagement peuvent débuter et les murs extérieurs être décorés. Les hourdis sont peints en blanc, les pièces de bois en ocre rouge, couleur très populaire au Moyen Age.

Le sous-faîtage est la pièce horizontale de la longueur du bâtiment, reliée aux poinçons verticaux, qui immobilise l'ensemble de la structure de la toiture.

Faux entrait

POINÇONS ET CHEVRONS

Les fermes sont complétées par la pose des poinçons, pièces de liaison composites aux éléments verticaux et obliques. Dans cet exemple, ils sont simples, mais s'ils étaient destinés à être vus, leurs poteaux seraient sculptés en forme de colonnes à chapiteau. Dans le même temps les chevrons sont posés entre les arbalétriers. La forme définitive de la construction se précise : une maison à quatre travées, les deux centrales formant un vaste espace à niveau double.

Arbalétrier

Entrait

Aisseliers

Sablière de plancher

Poinçon reliant l'entrait et le sous-faîtage

Les entraits traversent la structure transversalement pour assurer sa stabilité.

DES FOYERS BIEN CHARPENTÉS

L'une des techniques de construction les plus anciennes est basée sur la structure en charpente de bois. C'était la spécialité de charpentiers dont l'habileté était le fruit d'un long apprentissage. Traditionnellement, les espaces entre les éléments de charpente étaient remplis de hourdis en brique ou bien en lattes de bois et en torchis, un mélange d'argile et de paille. Ces maisons étaient couvertes de tuiles ou de chaume. Dans certaines régions, la fortune du propriétaire pouvait se lire à l'écartement entre les pièces de bois : plus il était réduit, plus le maître des lieux était riche.

UNE HISTOIRE DE COULEUR
Au Moyen Age, les pièces de charpente en chêne étaient généralement laissées apparentes et prenaient avec le temps une jolie patine gris argenté. De nos jours, comme pour cette maison de l'île de Funen, au Danemark, la charpente est souvent peinte en noir et les hourdis en blanc. En France ou en Allemagne, on préfère le contraste entre le brun pour le bois et l'ocre pour les hourdis.

CONSERVER LE GRAIN
Les greniers à grains, comme celui-ci construit en 1561 dans le nord de l'Allemagne, sont parmi les plus grandes structures en pan de bois. Elle est raidie par des pièces obliques, des décharges et des écharpes. Le remplissage est en hourdis de lattes et de torchis. Une avancée de la toiture abrite un escalier extérieur.

Les briques sont appareillées en épi.

SIGNES EXTÉRIEURS DE RICHESSE
Les notables du Moyen Age faisaient montre de leur richesse dans la construction de maisons à la structure sophistiquée et aux motifs de charpente élaborés. Si les losanges sont courants dans toute l'Europe, les découpes arrondies sont typiques de l'Angleterre.

LE MARCHÉ EN PRISON
Pendant des siècles, la place du marché était le centre de la plupart des cités européennes. On y trouvait souvent une halle en charpente. Celle-ci comporte un espace ouvert pour le commerce, une salle de conseil à l'étage et une petite pièce munie de barreaux qui servait de prison.

SOUS UN MÊME TOIT
L'imposante ferme allemande, ci-contre, nommée maison à bas-côtés, est d'un type assez répandu dans le nord du pays. Derrière la porte double se trouve l'aire de battage et, de chaque côté, les étables et les écuries. Les pièces d'habitation pour la famille du fermier et le personnel se trouvent à l'extrémité opposée.

Les portillons facilitent l'aération des étables.

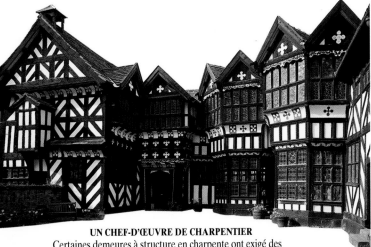

UN CHEF-D'ŒUVRE DE CHARPENTIER
Certaines demeures à structure en charpente ont exigé des dépenses considérables. C'est le cas de Little Moreton Hall, dans le nord-ouest de l'Angleterre. Les grandes baies vitrées sont caractéristiques de la Renaissance anglaise et les formes élaborées du pan de bois témoignent de la maîtrise des charpentiers de cette région.

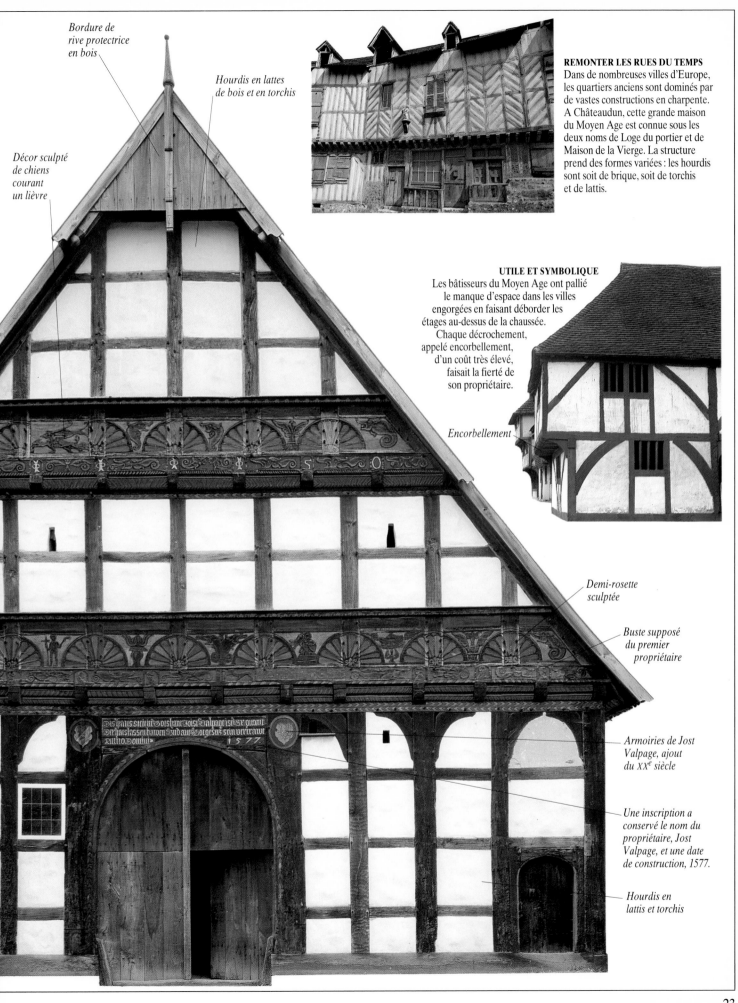

Bordure de
rive protectrice
en bois

Hourdis en lattes
de bois et en torchis

Décor sculpté
de chiens
courant
un lièvre

REMONTER LES RUES DU TEMPS
Dans de nombreuses villes d'Europe,
les quartiers anciens sont dominés par
de vastes constructions en charpente.
A Châteaudun, cette grande maison
du Moyen Age est connue sous les
deux noms de Loge du portier et de
Maison de la Vierge. La structure
prend des formes variées : les hourdis
sont soit de brique, soit de torchis
et de lattis.

UTILE ET SYMBOLIQUE
Les bâtisseurs du Moyen Age ont pallié
le manque d'espace dans les villes
engorgées en faisant déborder les
étages au-dessus de la chaussée.
Chaque décrochement,
appelé encorbellement,
d'un coût très élevé,
faisait la fierté de
son propriétaire.

Encorbellement

Demi-rosette
sculptée

Buste supposé
du premier
propriétaire

Armoiries de Jost
Valpage, ajout
du XXe siècle

Une inscription a
conservé le nom du
propriétaire, Jost
Valpage, et une date
de construction, 1577.

Hourdis en
lattis et torchis

23

UNE TOITURE À SUPPORTER

Le moyen le plus courant pour porter la toiture est la charpente en bois. Dans les maisons contemporaines, cette dernière est généralement cachée par les plafonds du dernier étage, mais autrefois, en particulier dans les grandes salles ou les granges, elle était apparente. Au cours des siècles, les charpentiers ont imaginé une multitude d'assemblages pour réaliser leurs charpentes. La couverture proprement dite est fixée sur les pièces obliques, appelées chevrons. Ces derniers ne sont pas suffisamment puissants pour porter une large toiture : elle peut fléchir sous son propre poids ou provoquer l'affaissement et l'écartement des murs par une poussée transversale excessive. Divers systèmes de pièces obliques – écharpes ou aisseliers – ou horizontales ont été mis au point pour assurer l'équilibre de la structure et bâtir des toits solides.

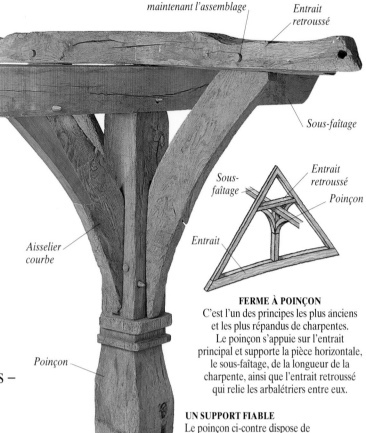

Cheville en bois maintenant l'assemblage

Entrait retroussé

Sous-faîtage

Aisselier courbe

Poinçon

Sous-faîtage

Entrait retroussé

Poinçon

Entrait

FERME À POINÇON
C'est l'un des principes les plus anciens et les plus répandus de charpentes. Le poinçon s'appuie sur l'entrait principal et supporte la pièce horizontale, le sous-faîtage, de la longueur de la charpente, ainsi que l'entrait retroussé qui relie les arbalétriers entre eux.

UN SUPPORT FIABLE
Le poinçon ci-contre dispose de quatre aisseliers courbes pour le lier fermement aussi bien au sous-faîtage qu'à l'entrait retroussé. L'ensemble des pièces est assemblé au moyen de tenons et de mortaises (p. 9) renforcés par des chevilles de bois.

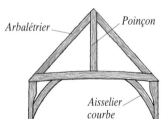

Aisselier

Tenon

Sous-faîtage

DE L'IMPORTANCE DES AISSELIERS
Les pièces de charpente obliques, droites ou courbes, appelées aisseliers, jouent un rôle important dans la structure de la charpente. Deux pièces assemblées à angle droit ne forment pas un ensemble résistant, elles doivent être épaulées par une pièce diagonale qui assure une bonne triangulation. Les aisseliers peuvent aussi, dans certains cas, jouer un rôle décoratif ; au Moyen Age ils étaient souvent peints de couleurs vives.

UNE FORÊT DE POUTRES
Les halles et les granges ont souvent de magnifiques charpentes. Celle-ci appartient au marché de Martel, dans le Lot. Des groupes d'aisseliers rayonnent autour des poinçons comme les rayons de roues gigantesques.

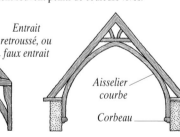

Arbalétrier

Poinçon

Aisselier courbe

Entrait retroussé, ou faux entrait

Entrait

Aisselier courbe

Corbeau

CHARPENTE À POINÇON SIMPLE
C'est la forme de ferme la plus simple et la plus employée pendant le haut Moyen Age. Les charges de la toiture sont transmises par le poinçon à l'entrait, qui peut fléchir sous le poids, d'où l'ajout d'aisseliers reportant ces charges sur les murs.

CHARPENTE À ENTRAIT ET FAUX ENTRAIT
L'entrait est secondé par un second entrait, qui est dit faux entrait ou entrait retroussé, consolidé par divers aisseliers, courbes ou droits. C'est sur l'entrait retroussé que vient reposer le sous-faîtage de la longueur de la toiture.

CHARPENTE EN BERCEAU
L'entrait est remplacé par deux aisseliers courbes formant un arc. Ils reposent sur des corbeaux en pierre dépassant de la structure du mur. Une large portée est couverte et l'espace du toit est ainsi libre de toute poutraison.

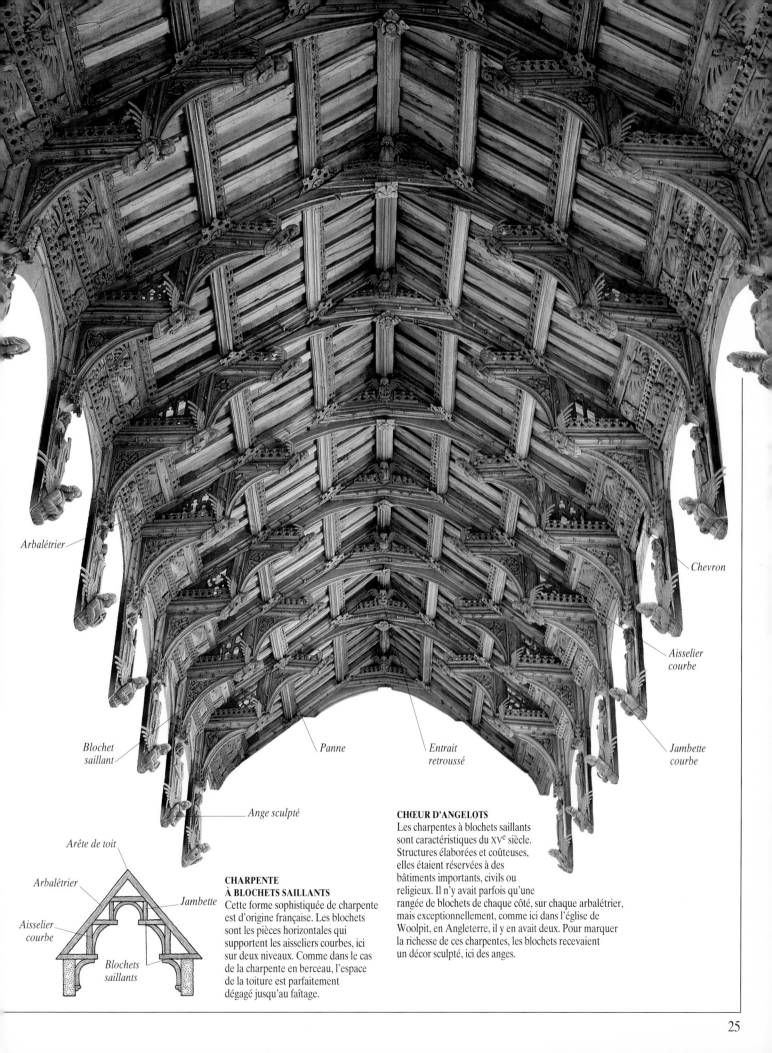

Arbalétrier

Chevron

Aisselier
courbe

Blochet
saillant

Panne

Entrait
retroussé

Jambette
courbe

Ange sculpté

CHŒUR D'ANGELOTS
Les charpentes à blochets saillants
sont caractéristiques du XVe siècle.
Structures élaborées et coûteuses,
elles étaient réservées à des
bâtiments importants, civils ou
religieux. Il n'y avait parfois qu'une
rangée de blochets de chaque côté, sur chaque arbalétrier,
mais exceptionnellement, comme ici dans l'église de
Woolpit, en Angleterre, il y en avait deux. Pour marquer
la richesse de ces charpentes, les blochets recevaient
un décor sculpté, ici des anges.

Arête de toit

Arbalétrier

Jambette

Aisselier
courbe

Blochets
saillants

**CHARPENTE
À BLOCHETS SAILLANTS**
Cette forme sophistiquée de charpente
est d'origine française. Les blochets
sont les pièces horizontales qui
supportent les aisseliers courbes, ici
sur deux niveaux. Comme dans le cas
de la charpente en berceau, l'espace
de la toiture est parfaitement
dégagé jusqu'au faîtage.

UNE TRADITION ANCESTRALE
De larges tuiles rouges composent la plupart des toits de Roquebrune, un village des Alpes-Maritimes. Elles sont utilisées depuis l'Antiquité, en particulier en Grèce. La plupart ont une forme courbe. Elles sont appelées tuiles creuses ou tuiles pannes. On en voit aux Pays-Bas comme en Californie.

BIEN À L'ABRI SOUS LA COUVERTURE

Les matériaux employés pour couvrir les bâtiments varient selon les régions, en fonction des ressources locales. Le chaume (pp. 30-31) a été autrefois le plus utilisé, mais il a été remplacé par la tuile et l'ardoise, tout d'abord près de leurs lieux de production et d'extraction. Les bardeaux en bois (le plus souvent de chêne) offrent une bonne solution là où les forêts sont assez abondantes, mais, dès la maîtrise de la cuisson de l'argile, la brique et la tuile sont devenues plus courantes. C'est le cas en Grèce, en Italie et autour de la Méditerranée où, dès l'Antiquité, temples et villas ont été, et sont toujours, couverts de tuiles. Celle-ci présente deux avantages sur le chaume : elle résiste au feu et au temps. En outre, elle peut prendre des formes et des tailles variées.

UNE MULTITUDE DE MATÉRIAUX
Il est aisé de mouler de l'argile, et les tuiles de terre cuite peuvent prendre des formes et des tailles diverses. Elles sont cependant fabriquées selon des standards largement répandus. L'ardoise est nettement plus difficile à obtenir, mais elle présente l'avantage, du fait de sa finesse, d'être plus légère que la tuile, donc de se contenter d'une structure de couvrement moins solide. Les lauzes en pierre, à l'inverse, sont plus lourdes mais d'une durabilité supérieure ; on ne les rencontre que dans les régions où certains types de pierres, comme le grès, sont disponibles en abondance.

Tuile en terre cuite   Ardoise   Lauze en grès

EN ÉCAILLES DE POISSON
Il est commun, dans certaines régions, de couvrir les murs extérieurs avec des tuiles de cette sorte. On obtient ainsi un motif décoratif en écailles de poisson (à droite). Les couvreurs commencèrent au XIXe siècle à imiter ce jeu graphique pour les toitures, ou en des points particuliers, comme les toits des bow-windows.

QUELLE TUILE !
Voici l'envers d'un toit couvert de tuiles. Des pointes fixent chacune des tuiles sur des lattes de bois, ou voliges, elles-mêmes clouées sur des chevrons. Chaque rangée chevauche la précédente.

Trou de fixation de la tuile

Rangée de tuiles en écailles de poisson

Rangée de tuiles en pointe

Monstre mythologique en céramique émaillée

Tuiles de rive

L'HARMONIE EN JAUNE

Dans l'architecture traditionnelle chinoise, la toiture, l'un des éléments primordiaux de la construction, est parfois dessinée avant le reste de l'édifice qui la supportera. Sur les grands pavillons d'entrée du palais impérial à Pékin – comme ici sur le pavillon de l'Harmonie du Milieu –, les toits sont des structures élaborées en tuiles jaunes, couleur réservée aux bâtiments importants.

Antéfixe étrusque en terracotta, du VIᵉ siècle av. J.-C.

Tuile en céramique émaillée datant de la période Ming

AU FAÎTE !

Cette tuile jaune est l'une de celles qui décorent les rives des bâtiments impériaux de la période de la dynastie Ming (du XIVᵉ au XVIIᵉ siècle), en Chine.

SUR LES RIVES DE TOITS

Sur certains bâtiments anciens, des tuiles décoratives, appelées antéfixes, viennent masquer les dernières tuiles en rive de toiture. Cette antéfixe en terre cuite provient d'un bâtiment étrusque de Capua, en Italie.

DES VARIATIONS RÉGIONALES

Formes et couleurs animent les toitures de certaines contrées. Le mélange de tuiles de couleurs différentes, assemblées en dessins géométriques, donne un résultat tout à fait spectaculaire. C'est le cas à Beaune, en Bourgogne. La couleur de l'ardoise elle-même varie selon les régions, du vert olive au bleu, du violet au rouge ou au gris. Des effets sont aussi permis avec des couleurs plus sourdes, comme dans certaines régions des Etats-Unis où des bardeaux de teinte grise sont assemblés selon un dessin géométrique de losanges ou de rectangles pour former les couvertures des bâtiments agricoles.

Tuiles jaunes et noires, à Beaune

Bardeaux en bois, dans le Nevada (Etats-Unis)

Ardoises grises et arrondies, à Eltville (Allemagne)

SUR LES TOITS DU MONDE

Dans les climats secs, les toits sont réduits à des terrasses, mais, dans la plupart des régions du globe, ils suivent une pente qui permet d'évacuer les eaux de pluie. Cette eau est canalisée par des gouttières en bois ou en métal, et des descentes la conduisent aux réseaux d'évacuation. Sous les climats humides, les toits sont débordants pour protéger les murs. Les toits prennent des formes variées : en appentis, à versants, à croupes, etc. Les baies ouvertes dans les combles sont soit des fenêtres percées dans un pignon ou dans la partie verticale d'un comble brisé, soit des lucarnes sur le versant même de la toiture. Les toits se prêtent, exposés à la vue de tous, aux ornementations.

RÉSIDENCE ROYALE
Un chef de village des Trobiand, îles situées au nord de la pointe de la Nouvelle-Guinée, dans le Pacifique, vit dans une maison à haute toiture. Pour indiquer sa condition sociale, le pignon, recouvert de chaume tout comme le toit, est abondamment décoré. Les motifs de roseaux peints et les porcelaines – coquillages – abondent.

C'EST UN COMBLE !
Les lucarnes sont des fenêtres qui débordent de la pente d'un toit, dont elles animent la ligne, et sont elles-mêmes dotées d'une petite toiture. Elles indiquent généralement que le comble est aménagé : solution économique pour occuper au maximum l'espace offert par le volume d'un édifice à haute toiture.

AUSSI HAUT QUE GRACIEUX
La plupart des grandes maisons du nord de l'Allemagne ont de hauts pignons décorés, comme ceux des demeures de négociants sur la place du marché de Lemgo (ci-dessous). Les motifs festonnés semi-circulaires surmontés d'un couronnement en pierre témoignent de la rivalité entre riches propriétaires voisins. Les bâtisseurs mettent cependant à profit ces quatre étages supplémentaires pour y aménager des espaces habitables.

Couronnement en pierre

Armoiries

Décor chantourné

Petit toit, terrasse d'une extension du bâtiment principal

Cadran solaire

PIGNONS ET AUTRES FRONTONS

Le pignon est la partie supérieure d'un mur, de forme triangulaire, déterminée par les pentes de la toiture. Dans beaucoup de maisons, les pignons ne font pas façade – ils forment les côtés – et ne sont pas visibles. D'autres, au contraire, ont un pignon en façade et ses bâtisseurs ont compris le parti qu'ils pouvaient en tirer. Percé de fenêtres, il offre un bon éclairage à l'espace sous comble et peut être également le support d'un décor. Sculpté ou peint, il transforme totalement l'apparence d'un bâtiment ordinaire en lui donnant une allure remarquable.

LES PIGNONS HOLLANDAIS
Depuis le XVIᵉ siècle, Amsterdam est un port et une place commerciale de première importance. Les riches marchands se firent construire de belles maisons dont la plupart sont couronnées de pignons ornés : triangulaires, chantournés ou à redents.

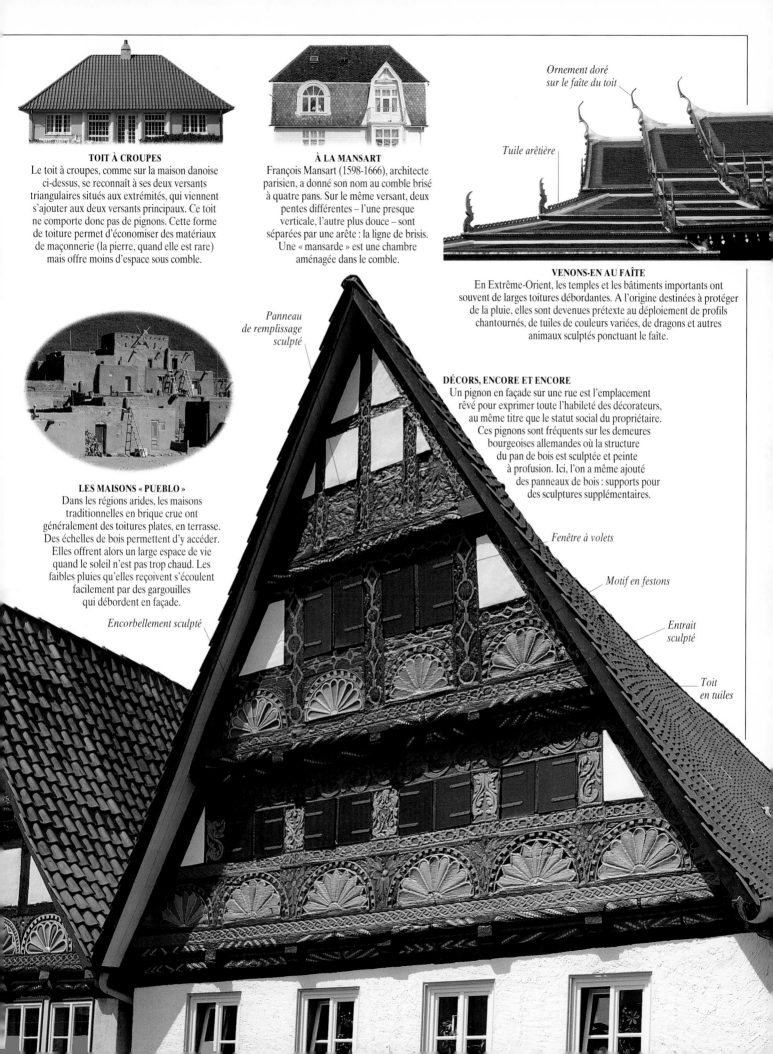

TOIT À CROUPES

Le toit à croupes, comme sur la maison danoise ci-dessus, se reconnaît à ses deux versants triangulaires situés aux extrémités, qui viennent s'ajouter aux deux versants principaux. Ce toit ne comporte donc pas de pignons. Cette forme de toiture permet d'économiser des matériaux de maçonnerie (la pierre, quand elle est rare) mais offre moins d'espace sous comble.

À LA MANSART

François Mansart (1598-1666), architecte parisien, a donné son nom au comble brisé à quatre pans. Sur le même versant, deux pentes différentes – l'une presque verticale, l'autre plus douce – sont séparées par une arête : la ligne de brisis. Une « mansarde » est une chambre aménagée dans le comble.

Ornement doré sur le faîte du toit

Tuile arêtière

VENONS-EN AU FAÎTE

En Extrême-Orient, les temples et les bâtiments importants ont souvent de larges toitures débordantes. A l'origine destinées à protéger de la pluie, elles sont devenues prétexte au déploiement de profils chantournés, de tuiles de couleurs variées, de dragons et autres animaux sculptés ponctuant le faîte.

LES MAISONS « PUEBLO »

Dans les régions arides, les maisons traditionnelles en brique crue ont généralement des toitures plates, en terrasse. Des échelles de bois permettent d'y accéder. Elles offrent alors un large espace de vie quand le soleil n'est pas trop chaud. Les faibles pluies qu'elles reçoivent s'écoulent facilement par des gargouilles qui débordent en façade.

Panneau de remplissage sculpté

DÉCORS, ENCORE ET ENCORE

Un pignon en façade sur une rue est l'emplacement rêvé pour exprimer toute l'habileté des décorateurs, au même titre que le statut social du propriétaire. Ces pignons sont fréquents sur les demeures bourgeoises allemandes où la structure du pan de bois est sculptée et peinte à profusion. Ici, l'on a même ajouté des panneaux de bois : supports pour des sculptures supplémentaires.

Fenêtre à volets

Motif en festons

Entrait sculpté

Encorbellement sculpté

Toit en tuiles

ICI, L'ON CHAUME POUR VIVRE

Les premières maisons étaient sans doute couvertes de chaume. Au cours des siècles, et selon les régions, le matériau servant à le constituer dépendait des ressources locales. En Afrique comme en Europe, la paille et le roseau abondent et forment l'essentiel des couvertures. À Sri Lanka, ces dernières sont faites de feuilles de palmier, alors que dans les Hébrides, en Écosse, certains toits sont confectionnés avec de la brande, une sorte de bruyère. Dans les régions septentrionales, afin de pouvoir résister aux intempéries, le chaume, et son épaisseur, est plus important que dans les régions méridionales. Quelques toitures de chaume sont décorées, soit en faîtage, soit le long des rives.

UN VILLAGE MODÈLE
En Angleterre, au XVIIIe siècle, Great Tew a été entièrement construit par le propriétaire terrien local. Ses maisons étaient conçues pour le plus grand confort des ouvriers de son domaine. Bâties en calcaire de la région, elles sont couvertes de chaume de roseau. Selon la tradition, les pentes du toit devaient descendre plus bas que le haut des murs, assurant ainsi une parfaite protection contre la pluie.

AU TOIT ET À L'ŒIL
Lors de la coupe des roseaux pour la fabrication du chaume, on les assemble en bottes aussi grosses que possible. Avant la mise en œuvre, on ajuste tous les roseaux dans le même sens afin de les disposer régulièrement, en javelles. Ce chaumier met en place une gerbe de roseaux sur un toit.

Rouleau de faîtage en roseaux

Plumeaux des roseaux

1 LA RANGÉE DE L'ÉGOUT
Le chaumier commence son travail le long de l'égout, c'est-à-dire au bord inférieur du toit, puis remonte progressivement vers le faîte. Cette première couche est appelée le « rang de pied ». Il pose les javelles nouées (gerbes), égalise l'extrémité avec sa palette et dénoue la gerbe pour la fixer avec des crochets en métal (fil de cuivre) ou des liens qui peuvent être en osier. Des broches métalliques maintiennent l'ensemble sur les chevrons de la charpente.

Baguette métallique maintenant les roseaux en place

Maillet pour frapper les agrafes

Crochet pour nouer les fils métalliques

Serpette pour tailler agrafes et baguettes de noisetier

Battoir

LA PALETTE
C'est l'un des outils les plus importants pour la couverture en roseaux. Cette palette à manche, garnie de clous, sert à frapper l'extrémité des javelles pour les égaliser.

DANS LA SACOCHE DU CHAUMIER
Les chaumiers utilisent des outils variés, dont certains nous sont familiers car ils appartiennent aussi à d'autres métiers. Le maillet enfonce les crochets qui fixent les bottes sur la structure en bois de la charpente. Le crochet, instrument plus spécifique, assemble les fils de fer galvanisé entre eux. La serpette taille les baguettes de noisetier qui maintiennent le chaume le long du faîtage du toit. La palette et le battoir égalisent les roseaux et tassent l'ensemble. Les ouvriers emploient de longues aiguilles métalliques pour fixer le chaume régulièrement sur la charpente.

Rang de pied : première couche de roseaux le long de l'égout

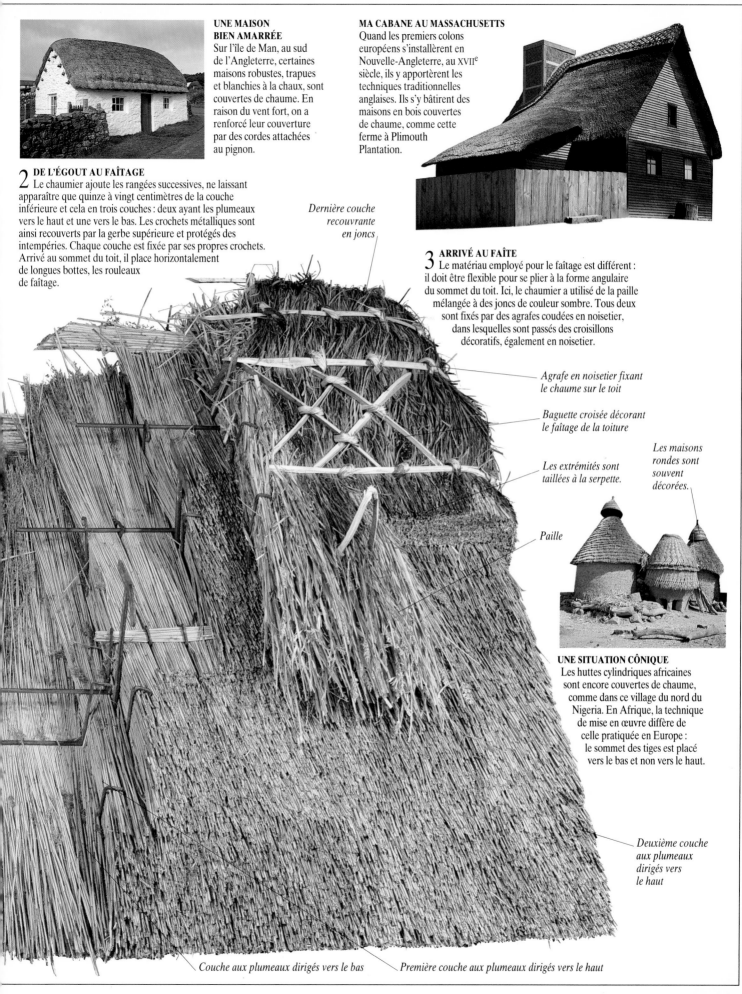

UNE MAISON BIEN AMARRÉE
Sur l'île de Man, au sud de l'Angleterre, certaines maisons robustes, trapues et blanchies à la chaux, sont couvertes de chaume. En raison du vent fort, on a renforcé leur couverture par des cordes attachées au pignon.

MA CABANE AU MASSACHUSETTS
Quand les premiers colons européens s'installèrent en Nouvelle-Angleterre, au XVIIe siècle, ils y apportèrent les techniques traditionnelles anglaises. Ils s'y bâtirent des maisons en bois couvertes de chaume, comme cette ferme à Plimouth Plantation.

2 DE L'ÉGOUT AU FAÎTAGE
Le chaumier ajoute les rangées successives, ne laissant apparaître que quinze à vingt centimètres de la couche inférieure et cela en trois couches : deux ayant les plumeaux vers le haut et une vers le bas. Les crochets métalliques sont ainsi recouverts par la gerbe supérieure et protégés des intempéries. Chaque couche est fixée par ses propres crochets. Arrivé au sommet du toit, il place horizontalement de longues bottes, les rouleaux de faîtage.

Dernière couche recouvrante en joncs

3 ARRIVÉ AU FAÎTE
Le matériau employé pour le faîtage est différent : il doit être flexible pour se plier à la forme angulaire du sommet du toit. Ici, le chaumier a utilisé de la paille mélangée à des joncs de couleur sombre. Tous deux sont fixés par des agrafes coudées en noisetier, dans lesquelles sont passés des croisillons décoratifs, également en noisetier.

Agrafe en noisetier fixant le chaume sur le toit

Baguette croisée décorant le faîtage de la toiture

Les extrémités sont taillées à la serpette.

Les maisons rondes sont souvent décorées.

Paille

UNE SITUATION CÔNIQUE
Les huttes cylindriques africaines sont encore couvertes de chaume, comme dans ce village du nord du Nigeria. En Afrique, la technique de mise en œuvre diffère de celle pratiquée en Europe : le sommet des tiges est placé vers le bas et non vers le haut.

Deuxième couche aux plumeaux dirigés vers le haut

Couche aux plumeaux dirigés vers le bas

Première couche aux plumeaux dirigés vers le haut

L'ART DE MANIER LES ARCS

Quand les premiers bâtisseurs voulurent créer des ouvertures, ils furent contraints de placer un linteau afin de couvrir la distance désirée ; plus elle était large, plus il devait être fin et léger. Dans l'architecture de pierre, les linteaux, trop lourds, étaient difficiles à mettre en œuvre. On inventa le principe de l'arc supporté par des colonnes ou des piliers et, avec de petits blocs de pierre ou même des briques, on put augmenter les portées. Durant la construction et jusqu'à la pose de la clef d'arc, les pierres étaient soutenues par une structure en bois : le cintre. Les Égyptiens et les Grecs de l'Antiquité employaient déjà cette technique, mais ce sont les Romains qui la développèrent. Leurs arcs étaient en plein cintre (en demi-cercle) et furent les seuls employés au Moyen Âge, jusqu'à l'invention de l'arc brisé gothique. Aujourd'hui, le métal et le béton dispensent du recours aux arcs.

Volute   *Abaque*

Echine décorée d'oves et de flèches

LE CHAPITEAU IONIQUE GREC

Au sommet de la colonne se trouve le chapiteau, qui relie la colonne au linteau, ou à l'arc, la surmontant. Les chapiteaux ioniques se distinguent par deux spirales enroulées : les volutes. Entre ces dernières se trouve l'échine, décorée d'oves. Au-dessus des volutes figure un abaque (tablette), qui peut être orné d'un feuillage sculpté.

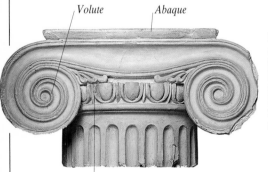

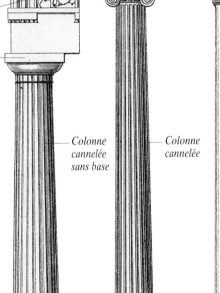

Triglyphe à trois canaux

Métope sculptée en bas relief

Chapiteau simple

Corniche, couronnement de l'entablement

Frise, deuxième division de l'entablement

Architrave, première division horizontale de l'entablement

Chapiteau à décor de volutes et de feuilles d'acanthe

Colonne cannelée sans base

Colonne cannelée

Colonne simple

SOUS LES ORDRES GRECS

Les Grecs ont conçu la construction de leurs bâtiments selon trois styles, appelés ordres. Chacun correspond à une série de règles de proportions et de décors pour l'ensemble des parties de la structure, et en particulier pour les colonnes, qui permettent de les identifier facilement. L'ordre dorique comporte des colonnes cannelées, sans base, et un chapiteau très simple. La frise est décorée de triglyphes et de métopes nues ou sculptées. Les deux autres ordres principaux, ionique et corinthien, ont des chapiteaux plus complexes mais des frises unies. Les architectes romains et ceux de la Renaissance ont imité les ordres grecs et leur ont ajouté les ordres toscan et composite.

Base

Ordre dorique   Ordre corinthien   Ordre composite (ionique et corinthien)

Arc en plein cintre de style roman

Arc brisé de style gothique

Décor grossièrement taillé au pic

Décor fin à pointes de diamant réalisé au ciseau

Abaque

UN DÉCOR FRUSTE
L'arc en plein cintre (ci-dessus) de la cathédrale de Canterbury, en Angleterre, a été élevé vers 1110, lors de la reconstruction de l'édifice qui avait été ravagé par un incendie. Un moine, nommé Gervase, qui a décrit ces travaux, raconte que le décor géométrique sculpté des arcs a été taillé au pic, d'où son irrégularité.

UNE COUPE AU CISEAU
Au cours des travaux de reconstruction de la cathédrale de Canterbury, au XIIᵉ siècle, l'arc brisé gothique, déjà né, fut employé. Le moine Gervase a noté que ces arcs, plus tardifs que les cintrés romans, furent taillés avec l'aide de ciseaux. Cet outil, plus précis que le pic, a permis un décor plus sophistiqué, à pointes de diamant.

Colonne cylindrique simple

Chapiteau d'amortissement engagé

UNE FORÊT DE COLONNES
La grande mosquée de Cordoue a été commencée en 785, sous le règne d'Abd al-Rahman. Premier émir omeyyade de Cordoue – l'Espagne était alors sous domination arabe –, il fit venir des bâtisseurs de Syrie. Ces derniers, afin de hausser le bâtiment, perchèrent leurs arcs sur des colonnes surélevées et ajoutèrent des arcs bas pour une meilleure stabilité. L'effet de rayures a été réalisé en alternant des pierres de couleur différente.

Gâble en accolade

TORSADES ET DOUCINES
A la fin du Moyen Age, les bâtisseurs imaginèrent de nouveaux motifs d'ornement pour les colonnes. Celles-ci, surprenantes, se trouvent dans la cathédrale de Ferrare, en Italie. A cause de leur forme torse, elles ne seraient pas assez solides pour supporter à elles seules le poids des murs au-dessus, et il a fallu leur adjoindre des colonnes droites. Les arcs en doucines affrontées (en double S) ont été aussi imaginés à la même époque.

Base

LA CLEF D'UN MYSTÈRE
Les arêtes se rejoignent pour s'appuyer sur une pierre appelée clef de voûte, généralement très ornée. Celle ci-dessus, du XIXᵉ siècle, est sculptée de fruits et de feuillages. D'autres, historiées, représentent un personnage ou des armoiries.

DE LA CLEF DE SOL À LA CLEF DE VOÛTE

Souvent en pierre ou en brique, les voûtes sont plus lourdes que les plafonds en bois. Les voûtes en berceau des Romains – forme la plus ancienne – étaient difficiles d'emploi en raison des désordres structurels que leur poids entraînait : les murs s'écartaient sous leur poussée ! Mais la mise au point d'arêtes puis de nervures permit aux bâtisseurs de pallier ce grand inconvénient. Durant des siècles, les voûtes furent le plus simple et le plus sûr moyen de construire un plafond cintré solide. Si leur rôle est fonctionnel, elles parlent aussi d'élégance et de majesté ; elles furent utilisées par les architectes des plus beaux édifices.

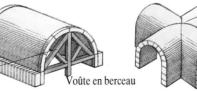

Des cintres supportent la voûte durant sa construction.

Arête

Nervure

Eventail

Voûte en berceau Voûte d'arêtes Voûte nervurée Fan vault (voûte en éventail)

L'ŒUVRE DU TEMPS
La voûte en berceau varie selon la disposition de ses arcs parallèles et forme un tunnel. De l'intersection de deux voûtes en berceau résulte la voûte d'arêtes. La voûte nervurée, plus résistante, est composée d'arcs en pierre créant des arêtes. L'ajout de nervures décoratives – en éventail – a donné naissance à la *fan vault* anglaise.

UN TOIT TOUT EN RONDEURS
Les dômes sont des voûtes sur plan circulaire. Certains sont en pierre ou en brique, d'autres en charpente de bois couverte de plaques de métal, un matériau plus léger qui offre une bonne étanchéité et réfléchit joliment les rayons du soleil. Ce revêtement est plutôt utilisé sur des édifices religieux, tel le dôme du Rocher, à Jérusalem, en Israël.

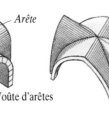

Tierceron (nervure secondaire)

Décor sculpté

Pan

Fût

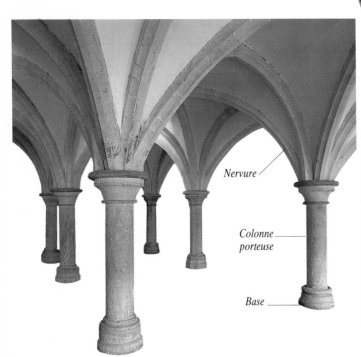

Nervure

Colonne porteuse

Base

ARRÊTE, TROP D'ARÊTES !
C'est durant la période gothique que les bâtisseurs du Moyen Age ont élevé les voûtes les plus audacieuses et les plus fines. Les arêtes s'élancent pour se rejoindre et former des ogives. Ce principe s'adapte parfaitement aux espaces irréguliers, aux églises et aux cathédrales (ci-contre, la crypte de celle de Rochester, en Angleterre, construite en 1202-1224) ainsi qu'aux caves des châteaux.

UN COUP D'ÉVENTAIL
Les architectes anglais du XVIᵉ siècle ont dessiné la *fan vault*, voûte nervurée en éventail. Les nervures, toutes de même longueur, s'ouvrent d'un demi ou d'un quart de cercle, en éventail. Les chapelles latérales d'églises et de cathédrales en possèdent souvent.

Clef
de voûte
principale
à décor
feuillagé

Lierne

Nervure
principale
marquant
le sommet
de la voûte

Clef de voûte
secondaire à
l'intersection
de deux
nervures,
décorée
d'une fleur

Nervure
franchissant
la largeur
de la voûte

L'arc brisé surbaissé
est typique de la fin
du Moyen Age.

Chapiteau simple

IMITATION RÉUSSIE
Quand les architectes du XIXᵉ siècle
commencèrent à réemployer les
principes de l'architecture médiévale,
et en particulier gothique, ils
multiplièrent les voûtes aussi bien
dans les maisons particulières que
dans les églises et les bâtiments
publics. Cet exemple présente une
voûte surbaissée nervurée à arêtes
multiples. Les bâtiments du siècle
dernier sont parfois très éloignés
de ceux qui les ont inspirés,
mais leur dessin n'en est pas moins
authentique et remarquable.

Colonne
fasciculée

Base

NOUS VOULONS ATTEINDRE LE CIEL

Depuis des millénaires, on élève des tours. Au Moyen Âge, l'une de leurs fonctions premières était défensive ; leurs positions dominantes permettaient aux occupants d'un château, ou d'une cité, de voir l'avancée d'éventuels ennemis. Les tours revêtent également une valeur religieuse. Ainsi, les tourelles pyramidales des temples hindous symbolisent l'imaginaire mont Meru, centre de l'Univers, alors que les flèches des églises et des cathédrales gothiques se tendent vers le paradis céleste des chrétiens. Quant aux buildings des villes modernes surpeuplées, ils permettent d'exploiter au mieux des espaces réduits.

TÉMOINS DE NOBLESSE
Les plus puissantes familles nobles des cités médiévales italiennes faisaient élever des tours qui servaient autant d'observatoire que de refuge en cas de troubles. Elles leur permettaient aussi d'afficher leur statut social : plus haute était la tour, plus leur prestige était grand ! San Gimignano, en Toscane, dans le nord du pays, en compte encore treize (il y en avait plus de soixante-dix à l'origine).

APPEL À LA PRIÈRE
Les mosquées musulmanes possèdent au moins un minaret : tour élancée, très élevée, couronnée par un belvédère. A certaines heures, le muezzin y monte pour appeler les fidèles à la prière. Les minarets – comme celui ci-dessus, à Ispahan, en Iran – sont souvent décorés de carreaux vernissés aux dessins géométriques.

Flèche en bulbes polygonaux successifs, couronnée d'un belvédère ajouré

La flèche, bien que de silhouette gothique, a une inhabituelle forme torse.

Le plomb offre un revêtement souple et d'une grande longévité.

La flèche est portée par un égout retroussé de plan carré.

DES BULBES POUR LE PRINTEMPS DE LA FOI
Le bulbe est la forme de dôme qui évoque un oignon. Il est typique de l'architecture orthodoxe de Russie et d'Europe de l'Est. Ceux-ci, du XVIe siècle, coiffent la cathédrale Saint-Basile, à Moscou. Les hauts tambours cylindriques qui surélèvent ces dômes contribuent à leur donner leur surprenante silhouette.

POUR LE PARADIS, SUIVEZ LES FLÈCHES
Au Moyen Age, les flèches des églises gothiques s'élancent vers le ciel, incitant les fidèles à élever leur âme vers le paradis. Construite tardivement, dans les années 1560 et 1660, l'église Saint-Nicolas, à Lemgo, en Allemagne, a perpétué cette tradition.

DESSINE-MOI L'HORIZON
Depuis la fin du XIXe siècle, les Américains sont passés maîtres dans l'art de concevoir des structures en métal (fonte puis acier) pour élever des immeubles de grande hauteur. L'invention d'ascenseurs, en 1852, y est pour beaucoup dans leur formidable développement. Le premier building, de dix étages, fut construit à Chicago en 1883. Afin de gagner de l'espace, d'autres cités de par le monde se sont hérissées de gratte-ciel : New York (ci-dessus), Hong Kong ou le quartier de la Défense, à l'ouest de Paris, par exemple. Ainsi la silhouette des métropoles a-t-elle complètement changé.

Epi de faîtage
décoré

Toiture
à forte
pente

Pierres de
chaînage
d'angle

À TOUR OUVERTE

La coupe d'une tour médiévale
fait apparaître différentes
salles sur plusieurs étages.
Les pièces à vivre sont
reliées entre elles par
un escalier à vis
dans deux tourelles
« montant de fond »,
de part et d'autre.
A son sommet, la
tour dispose d'un
chemin de ronde
protégé par un
garde-corps
en pierre.

La tourelle abrite
un escalier à vis
permettant la
communication
entre les étages.

Salle commune

Magasin,
ou cachot

À LA HAUTEUR
DE LA SITUATION

Les bâtisseurs du Moyen Age ont
expérimenté de nombreuses formes
de tours. Carrées, elles étaient faciles
à construire mais offraient des points
de vue limités aux défenseurs. Cylindriques,
elles ont, à cet égard, marqué un progrès
sensible mais requéraient plus de savoir-faire.
La tour polygonale fut la solution
de compromis, comme celle, octogonale,
du château de Chamerolles (Loiret), ci-contre.

DES MESURES DÉFENSIVES

Les tours de château étaient élevées dans
un but de défense militaire. Beaucoup
avaient des meurtrières : minces
ouvertures par lesquelles les assiégés
pouvaient tirer sur les assaillants en se
tenant à l'abri. Certaines, comme celles
du château de Sully (ci-contre), dans
le Loiret, étaient équipées d'un
mâchicoulis couvert, en surplomb,
qui permettait de lancer divers
projectiles sur les attaquants
munis d'échelles.

Cheminée
en pierre

Meurtrière,
pour tirer
sur l'ennemi

Mâchicoulis

Mur en pierre
de taille

Large fenêtre
probablement
ouverte
ultérieurement,
car, si près du
sol, les châteaux
n'avaient que
de minces
ouvertures.

PLUS D'UNE TOUR DANS SON SAC

L'enluminure d'un manuscrit médiéval, ci-dessus, illustre l'édification
des remparts de Marseille. Les maîtres maçons disposaient de peu d'engins
de construction mais d'une main-d'œuvre abondante. Des manœuvres
apportaient, à l'aide de hottes ou de brouettes, des pierres aux appareilleurs.
Celles-ci étaient élevées, soit par un escalier construit dans une tour, soit au
moyen de cordes et de poulies montées sur des grues ou des écureuils
(grandes roues en bois). Des échafaudages permettaient aux ouvriers
de travailler aussi bien à l'intérieur qu'à l'extérieur.

Elément de balustre en fer forgé, 1795

Balustre en fonte, 1850

ESCALIERS : LA MARCHE À SUIVRE

Les premières maisons étaient de plain-pied. Mais dans certaines régions, comme au Moyen-Orient, les habitants utilisaient les terrasses supérieures de leurs demeures et, pour y accéder, se servaient d'échelles avant de construire des escaliers en bois ou en pierre. Les Romains, qui édifièrent les premiers immeubles d'appartements, employaient les escaliers de manière courante. Les vis en pierre étaient très prisées au Moyen Âge, alors que les volées droites sont plus communes de nos jours. Après la Renaissance les salles de réception étaient au premier étage et les entrées y conduisaient par un escalier monumental.

Couronnement en pointe

Balustre

Poteau de départ

DES TOURS ET DÉTOURS

Même construit dans une petite cage, un escalier peut avoir fière allure, comme le montre cet exemple du XVIIe siècle. Selon l'usage à cette époque, il est en chêne. Les balustres ont été façonnés – tournés – sur un tour. Les grands poteaux d'angle – poteaux de départ – sont profondément sculptés et couronnés d'imposants amortissements.

FORGÉ OU FONDU ?

Les balustres, qui portent la rampe, sont souvent les éléments les plus ornés d'un escalier. Au XVIIIe siècle, et au début du siècle suivant, ces créations en fer forgé s'ornaient de motifs entrelacés ou géométriques. Plus tard, des balustres en fonte combinant les styles gothique, baroque, classique et néo-classique furent produits en série.

Balustre en fonte peinte, vers 1840-1855

Giron, ou dessus de marche

Rampe

Balustre

PAR ICI LA SORTIE !

En cas d'incendie, les issues de secours sont indispensables sur les hauts immeubles modernes. Ces escaliers se trouvent à l'extérieur de la construction, accessibles par un palier à chaque étage. Les buildings new-yorkais – comme ici dans le quartier de Soho – en ont souvent de semblables, en fonte.

UNE VIS EN FONTE

Après la révolution industrielle, le fer devint un matériau très largement utilisé dans la construction. Les éléments qui composent cet escalier ont été fondus séparément et assemblés sur le chantier. Les escaliers à vis offraient un gain de place important comparés aux escaliers droits.

UN DEGRÉ ROYAL

L'escalier du château de Blois, construit pour François Ier au XVIe siècle, est un monument historique. Il s'inscrit dans une tourelle octogonale et est richement orné. La cour s'assemblait dans cette « galerie » à vis pour assister à l'arrivée du roi. Le décor Renaissance comprend de nombreuses représentations de la salamandre, symbole du monarque, et de son monogramme F.

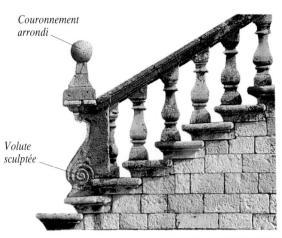

Couronnement
arrondi

Volute
sculptée

MONTEZ, JE VOUS EN PRIE
A la Renaissance, beaucoup d'édifices italiens
avaient leurs pièces principales au premier niveau,
sur un rez-de-chaussée légèrement surélevé.
On accédait au hall d'entrée par un escalier
extérieur en pierre, généralement sculpté, avec des
balustres et divers éléments ornementaux.

AVIS AUX ASSAILLANTS
De nombreux bâtiments de la période médiévale ont
des escaliers à vis en pierre. Leur construction était
aisée à l'intérieur d'une tourelle cylindrique et ils
avaient l'avantage sur les escaliers en bois de résister
au feu. Ils permettaient aussi de dérouter l'assaillant
qui ne pouvait sortir son épée
dans un tel colimaçon !

Dessous
de marche

Noyau central

LA TOUR DE BABEL
La construction des tours
connut son heure de gloire
au Moyen Age. Châteaux
et manoirs nécessitaient
des tours défensives et les
églises comportaient pour
la plupart des clochers.
Toutes ces structures
comprenaient des escaliers
intérieurs. L'artiste à qui
l'on doit les enluminures
du Livre d'heures du duc
de Bedford, au XVe siècle,
a imaginé la mythique
tour de Babel avec un
escalier extérieur s'élevant
le long des quatre faces
du bâtiment.

ÇA MARCHE !
Les escaliers à vis sont composés
d'éléments en pierre qui ont la forme
d'un trou de serrure. Empilés
les uns sur les autres, ils composent
non seulement les marches mais
également le noyau central.

Giron en pierre

INSTALLONS-NOUS AU COIN DU FEU

Avant que l'on ne parvienne à construire des âtres et des cheminées parfaitement sûrs, on allumait les foyers à l'extérieur, afin de minimiser les risques d'incendie, en particulier lorsque les maisons étaient en bois et couvertes de chaume ! Puis les feux gagnèrent le centre du logis, loin des murs et sur une base en pierre ; un simple orifice dans la toiture permettait l'évacuation des fumées. Les maçons commencèrent à construire, dans les cloisons, des conduits en pierre qui canalisaient parfaitement, et en toute sécurité, la fumée. Depuis la fin du XVe siècle, une multitude de souches de cheminées sur les toits font désormais partie du paysage.

UNE CUISINE FONCTIONNELLE
Voici une cheminée allemande du XVIIIe siècle truffée d'astuces ! La hotte offrait un lieu idéal pour fumer et conserver la viande. Le foyer en creux permettait de maintenir les plats au chaud. Le sel et les épices, derrière les portes latérales, étaient à l'abri de l'humidité.

LA VRAIE CHALEUR D'UN FOYER
Le fourneau en fonte du XIXe siècle remplissait diverses fonctions dans une cuisine. Il comprenait un ou deux fours, des plaques chauffantes, des compartiments pour réchauffer les marmites et chauffait la pièce.

Le bleu des carreaux est dû au cobalt.

La hotte dirige les fumées vers le conduit.

LA SPLENDEUR DU SULTAN
Le palais de Topkapi, à Instanbul, en Turquie, a de somptueuses cheminées ornées de céramiques multicolores. Celle-ci, dans le harem, fut dessinée par Mimar Sinan (1489-1588), un fameux architecte turc.

AVOIR CHAUD AU CŒUR
Source de chaleur et de confort, le foyer est devenu synonyme de « chez soi ». La magnifique cheminée Renaissance, ci-dessus, se trouve au château de Sully. La hotte porte la représentation du château de Rosny, lieu de naissance du duc de Sully, au XVIIe siècle.

Couronnement de forme concave

FIÈREMENT DRESSÉES
Les hautes souches de cheminées, groupées par paires ou plus nombreuses, symbolisaient le statut social dans l'Angleterre du XVIe siècle. En pierre, celles du prieuré de Saint-Osyth sont conçues comme des miniatures de colonnes, avec une base et un couronnement moulurés tels des chapiteaux. Les fûts ont reçu un décor sculpté plus travaillé encore !

Base moulurée en pierre

Avant l'introduction du chauffage central, demeures et immeubles avaient souvent une cheminée par pièce, ce qui impliquait bon nombre de conduits se rejoignant en une souche commune sur le toit. Chacun aboutissait à un mitron individuel (« chapeau » circulaire) en terre cuite. Les mitres courbes (ci-contre) empêchent la pluie et les oiseaux de pénétrer dans les conduits. Les mitrons étaient plus économiques que les souches maçonnées, d'où leur succès dans l'Europe du XIXe siècle.

Mitre courbe

Couronnement crénelé

RIEN N'Y CONDUIT

Au Portugal, les mitrons en céramique sont dessinés pour que le vent, ou toute autre chose, ne s'engouffre pas dans le conduit. Les maçons commencèrent à les fabriquer aux XVIIIe et XIXe siècles.

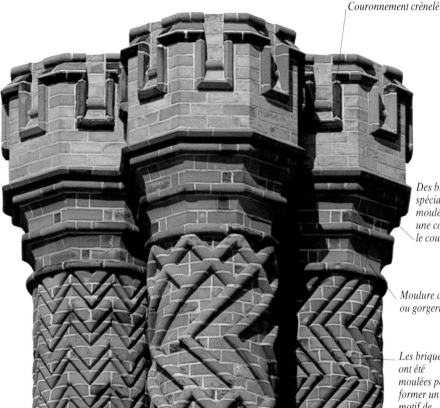

Des briques fines spécialement moulées forment une console pour le couronnement.

Moulure concave, ou gorgerin

Les briques ont été moulées pour former un motif de chevrons.

NON AU FEU !

La cabane en rondins, ci-dessus, se trouve en Virginie, aux Etats-Unis. Son âtre en pierre et son conduit en bois, d'architecture traditionnelle, sont relativement sûrs lorsque la hotte est assez haute, mais il subsiste un risque si des escarbilles s'envolent. Beaucoup d'incendies se sont ainsi déclarés dans les cités médiévales.

DES CHÂTEAUX DANS LES AIRS

Parmi les plus belles souches de cheminées se trouvent celles qui couronnent le palais de Hampton Court, en Angleterre, construit par le lord chancelier du roi Henri VIII, le cardinal Wolsey. Crénelées comme des tourelles de château, elles témoignent de l'importance du commanditaire. Quand la fortune du cardinal déclina, il fut contraint de céder son palais au roi, en attendant de retrouver son crédit. Ces cheminées sont alors devenues des symboles du pouvoir royal.

FIGURES DE L'AMOUR
Les scènes de la mythologie grecque et romaine étaient des motifs en vogue pendant la Renaissance. Chaque carreau, fabriqué en série, représentait un épisode d'une histoire entière ! Cette mode se perpétua au XVIIᵉ siècle, ainsi que l'illustrent les exploits de Cupidon, le dieu romain de l'Amour, sur cette cheminée du château de Sully (Loiret).

LA CÉRAMIQUE SE TIENT À CARREAU

Entre 3000 et 2000 av. J.-C., un potier découvrit qu'en donnant à ses poteries une glaçure (couche superficielle solide) il les rendait parfaitement étanches. Il s'agissait de les couvrir d'un mélange d'eau, de verre pilé et de colorant, comme le cobalt ou le nickel. Ce vernis durcissait à la cuisson et devenait imperméable.

À la même époque, au Moyen-Orient, des bâtisseurs utilisèrent des carreaux de terre cuite vernissée pour recouvrir les bâtiments de brique crue, les protégeant ainsi de l'effet de la pluie. Ils exploitèrent également les multiples possibilités décoratives de la brique vernissée pour la couverture des murs mais aussi des sols. On fabrique depuis lors des carreaux et des tuiles pour orner des constructions dans le monde entier.

LA FAÏENCE DE DELFT
La faïence vernissée à l'étain fut très populaire au XVIIᵉ siècle, en particulier aux Pays-Bas. Produite principalement à Delft, elle en a gardé le nom.

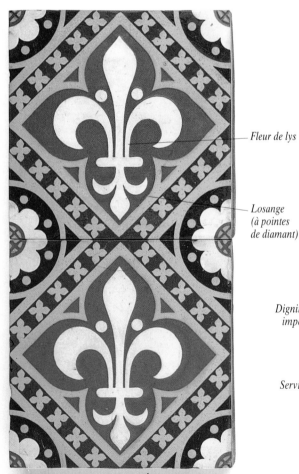

— Fleur de lys

— Losange
(à pointes
de diamant)

LE GOTHIQUE REDÉCOUVERT
Dessinés par l'architecte anglais A.W.N. Pugin, l'un des principaux maîtres du renouveau gothique au XIXᵉ siècle, ces carreaux, au décor fleurdelisé, des murs et du sol d'une chapelle des années 1830, proviennent de la manufacture de Minton, en Angleterre.

Dignitaire
impérial —

Serviteur —

DIGNITAIRES IMPÉRIAUX SUR LE CARREAU
Les Chinois ont toujours eu une industrie de la céramique très sophistiquée. La porcelaine, variété de céramique obtenue avec un mélange de kaolin (une argile blanche) et d'une pierre appelée *petuntse*, fut inventée pendant la dynastie des Han (206 av. J.-C.-220 apr. J.-C.). Ce carreau de porcelaine du XVᵉ siècle représente trois dignitaires impériaux et leur suite. Ces figures complexes et multicolores, au vernis jaune, bleu et violet, étaient alors très courantes.

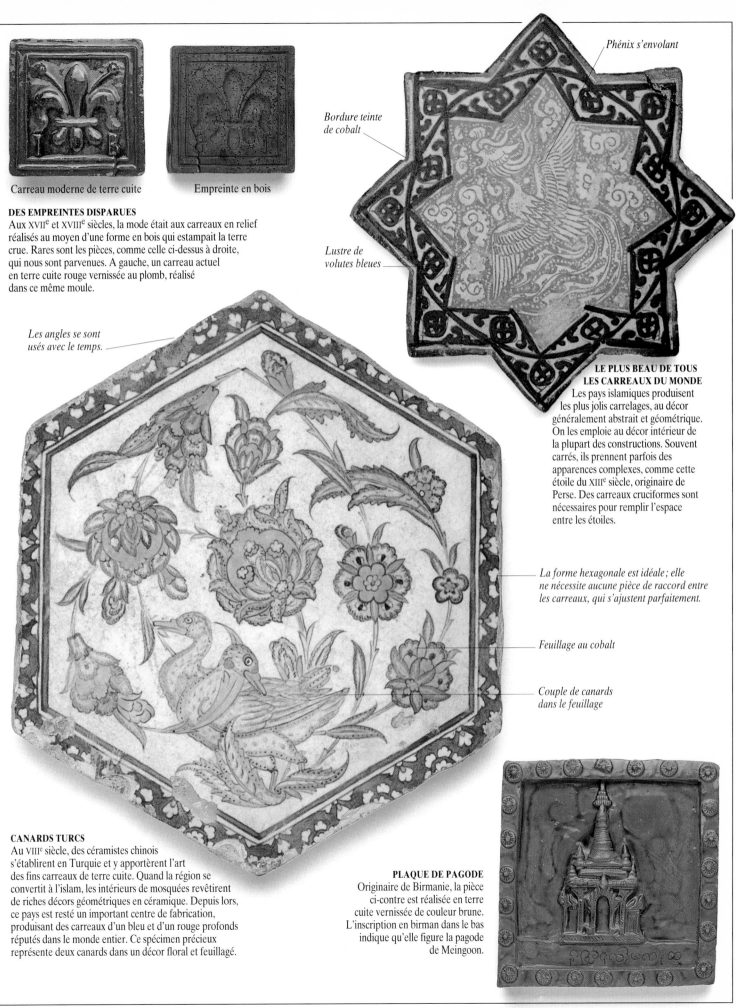

Carreau moderne de terre cuite

Empreinte en bois

DES EMPREINTES DISPARUES

Aux XVIIe et XVIIIe siècles, la mode était aux carreaux en relief réalisés au moyen d'une forme en bois qui estampait la terre crue. Rares sont les pièces, comme celle ci-dessus à droite, qui nous sont parvenues. A gauche, un carreau actuel en terre cuite rouge vernissée au plomb, réalisé dans ce même moule.

Phénix s'envolant

Bordure teinte de cobalt

Lustre de volutes bleues

Les angles se sont usés avec le temps.

LE PLUS BEAU DE TOUS LES CARREAUX DU MONDE

Les pays islamiques produisent les plus jolis carrelages, au décor généralement abstrait et géométrique. On les emploie au décor intérieur de la plupart des constructions. Souvent carrés, ils prennent parfois des apparences complexes, comme cette étoile du XIIIe siècle, originaire de Perse. Des carreaux cruciformes sont nécessaires pour remplir l'espace entre les étoiles.

La forme hexagonale est idéale ; elle ne nécessite aucune pièce de raccord entre les carreaux, qui s'ajustent parfaitement.

Feuillage au cobalt

Couple de canards dans le feuillage

CANARDS TURCS

Au VIIIe siècle, des céramistes chinois s'établirent en Turquie et y apportèrent l'art des fins carreaux de terre cuite. Quand la région se convertit à l'islam, les intérieurs de mosquées revêtirent de riches décors géométriques en céramique. Depuis lors, ce pays est resté un important centre de fabrication, produisant des carreaux d'un bleu et d'un rouge profonds réputés dans le monde entier. Ce spécimen précieux représente deux canards dans un décor floral et feuillagé.

PLAQUE DE PAGODE

Originaire de Birmanie, la pièce ci-contre est réalisée en terre cuite vernissée de couleur brune. L'inscription en birman dans le bas indique qu'elle figure la pagode de Meingoon.

LES SOLS QUE NOUS FOULONS

La terre battue constitue la forme de sol la plus simple. Elle est parfois mêlée à de la chaux ou à de l'argile, puis tassée pour obtenir une surface lisse. En Europe, jusqu'à une époque récente, ce type de sol était très fréquent dans les maisons les plus modestes et le reste dans les pays en voie de développement. Depuis longtemps aussi on fabrique des planchers : planches de bois posées sur des solives. De nombreux parterres modernes sont encore en bois, même s'ils sont dissimulés sous des revêtements tels que moquette ou tapis. Les édifices plus importants ont leurs sols recouverts de pierre, de brique ou de carrelage. Seuls les bâtiments les plus prestigieux, comme les villas romaines ou les palais italiens de la Renaissance, sont dallés de mosaïques ou de marbre.

FRAIS ET POLI
Le marbre est le matériau le plus noble pour la réalisation des sols. On l'estime autant pour la variété de ses couleurs et de ses textures que pour la finesse du poli de ses surfaces qui permettent de composer des découpes complexes. Sa fraîcheur au toucher le rend très populaire dans les pays chauds. Ci-dessus, un pavage de maison vénitienne.

AVEC STYLE
Les carreaux, hormis leur aspect pratique, peuvent être colorés et vernissés afin de se prêter à des décors variés. Ceux-ci illustrent deux styles différents : des cercles et des diamants médiévaux, entourés d'une frise d'inspiration florale typique de l'Art nouveau de la fin du siècle dernier.

TESSELLE APRÈS TESSELLE
Les mosaïques sont des compositions décoratives formées par l'assemblage de petits morceaux de pierre, ou de verre coloré, appelés tesselles. Leur résistance aux chocs et à l'humidité, ainsi que la tenue de leurs couleurs ont assuré leur popularité dans les pays méditerranéens. Ce fragment de pavage romain a été découvert dans une villa d'Halicarnasse, en Turquie.

MOSAÏQUE AUX POISSONS
Les Crétois de l'Antiquité créaient des mosaïques avec des galets. A partir du IVe siècle av. J.-C., les Grecs en composèrent avec des tesselles. Mais les Romains furent incontestablement les maîtres en la matière. Ils employaient différents matériaux : fragments de carreaux en céramique, morceaux de marbre, autres pierres et bouts de verre. Ces poissons, en tesselles de pierre et de verre coloré, ornent une construction du IVe siècle, à Carthage, en Tunisie.

TEINTÉS DANS LA MASSE
De nombreuses demeures du Moyen Age étaient carrelées de céramique dont les motifs résultaient du mélange d'argiles de teintes différentes. Lors de la cuisson, ces contrastes de couleurs étaient fixés, pris dans la masse. Sur cet échantillon du XIIIᵉ siècle, provenant de l'abbaye de Westminster, à Londres, on a obtenu un dessin sophistiqué en incrustant de l'argile claire dans une argile rouge. Le carreau, représentant deux griffons sous une frise, était destiné à être regroupé avec trois autres pour former une composition rayonnante.

Bordure décorée

DES MOTIFS ROYAUX
La fleur de lys de la couronne de France et la double rose de la dynastie galloise des Tudor revenaient fréquemment dans le décor des carreaux du Moyen Age.

Rose Tudor

Griffon

Fond en argile rouge

Fleur de lys

LA PIERRE
Elle constitue l'un des matériaux de revêtement de sol des plus anciens et des plus durables. Du fait de son poids important, elle est généralement réservée aux rez-de-chaussée. Selon sa découpe en larges dalles ou en pièces plus petites aux formes variées, on peut obtenir des compositions décoratives très différentes.

PRIS DANS LA TOILE
Le chêne, du fait de sa densité et de son grain fin, se prête parfaitement à la réalisation de planchers, ou de parquets durables et beaux. Ci-contre, il s'agit d'un motif dit en « toile d'araignée ».

SOLS DE BOIS

Le bois est un matériau courant pour la fabrication des sols. Des planches posées sur des solives forment un plancher léger et solide qui peut être posé à tous les étages. S'il n'est pas recouvert de moquette ou de tapis, il est teinté pour mettre en valeur le grain, ou le fil, ou bien assemblé selon des motifs décoratifs.

HÊTRE OU NE PAS HÊTRE
Les lames de ce luxueux parquet en hêtre ont été vitrifiées. Un joint mince en néoprène sépare et souligne les bandes.

OUVRE-MOI TA PORTE !

Les premières portes étaient des ouvertures dans un mur, protégées des intempéries par des peaux de bêtes. Mais on s'aperçut vite qu'un solide panneau en bois apportait une meilleure protection. La porte d'entrée est fixée à l'embrasure qui déborde légèrement pour former le larmier permettant d'écarter les eaux de pluie. Il peut y avoir un seuil si le niveau intérieur du sol est plus élevé que le niveau extérieur. Certaines portes en retrait offrent un abri provisoire. Mais c'est leur décor qui les distingue par-dessus tout, répondant à la destination du bâtiment : les portails des églises sont souvent ornés de statues de saints et de martyrs.

Heurtoir à tête de lion, XIXᵉ siècle

Poignée de porte en forme de dauphin, XVIIIᵉ siècle

TOC, TOC !
Certaines poignées de portes – indispensables – sont finement dessinées. La fin du XVIIIᵉ siècle connut l'apogée de l'artisanat du métal, et les figures les plus singulières, comme ici un dauphin, étaient très populaires. Les portes peuvent également être équipées de heurtoirs en forme de têtes animales ou humaines.

Embrasure richement sculptée et peinte

RIEN NE SE PERD
Durant la période qui suivit la chute de l'Empire romain, on employa fréquemment les matériaux récupérés sur les bâtiments abandonnés. Ce portail anglo-saxon à Colchester, en Angleterre, a été édifié avec des briques romaines. Sa forme triangulaire est typique de l'architecture anglaise d'avant la conquête normande, en 1066.

LA MÉMOIRE DES LIEUX
Sur l'embrasure de cette entrée allemande, une inscription commémorative rappelle la date de construction de la maison, 1730, et que ses premiers habitants furent un couple de marchands. Mais la porte elle-même, de style rococo, typique de la fin du XVIIIᵉ siècle, a été ajoutée par un descendant vers 1790.

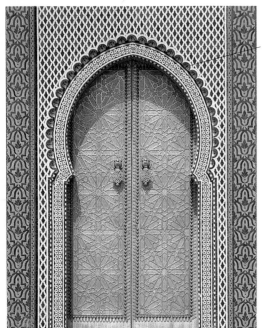

Feston polylobé

ENTRÉE D'HONNEUR
Les bâtiments islamiques ont souvent des portails en arc outrepassé (en fer à cheval), décoré d'un feston polylobé (à plusieurs lobes). L'ornementation de la porte et de son embrasure indique l'importance de l'édifice, ici le palais royal de Fez, au Maroc.

Tympan semi-circulaire

VITE ET BIEN
C'est parce que Dublin, en Irlande, connut une croissance rapide aux XVIIIᵉ et XIXᵉ siècles que de nombreuses maisons y furent élevées. Leur entrée est élégante, à l'embrasure décorée de colonnes et de tympans en éventail. Les portes à panneau sont typiques de cette époque.

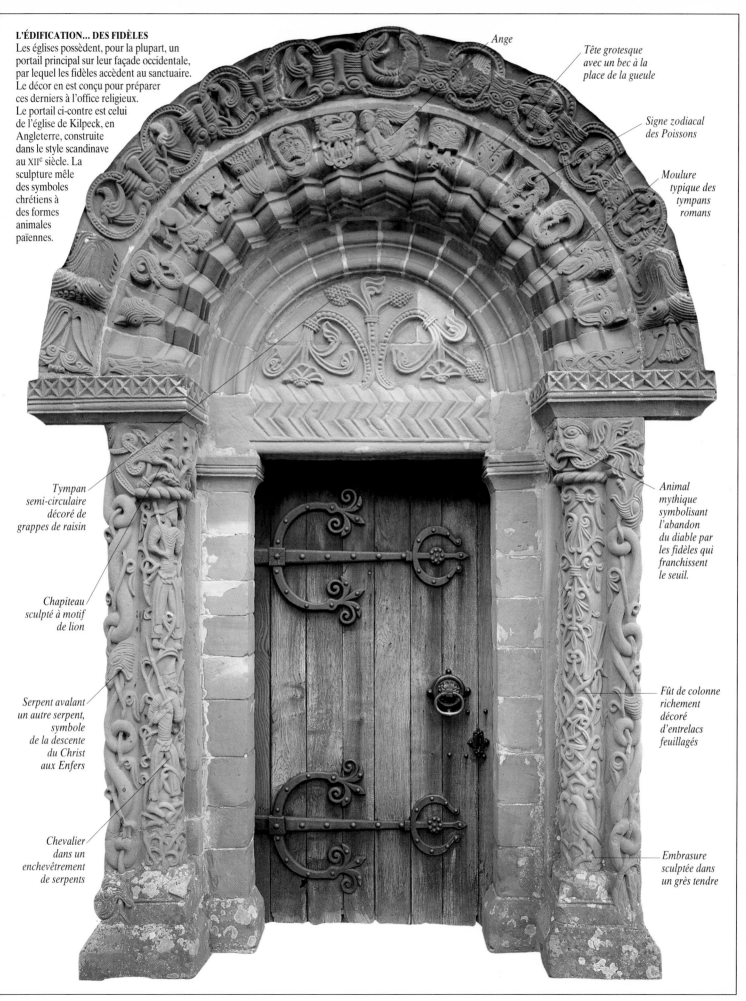

L'ÉDIFICATION... DES FIDÈLES

Les églises possèdent, pour la plupart, un portail principal sur leur façade occidentale, par lequel les fidèles accèdent au sanctuaire. Le décor en est conçu pour préparer ces derniers à l'office religieux. Le portail ci-contre est celui de l'église de Kilpeck, en Angleterre, construite dans le style scandinave au XIIe siècle. La sculpture mêle des symboles chrétiens à des formes animales païennes.

Ange

Tête grotesque avec un bec à la place de la gueule

Signe zodiacal des Poissons

Moulure typique des tympans romans

Tympan semi-circulaire décoré de grappes de raisin

Chapiteau sculpté à motif de lion

Serpent avalant un autre serpent, symbole de la descente du Christ aux Enfers

Chevalier dans un enchevêtrement de serpents

Animal mythique symbolisant l'abandon du diable par les fidèles qui franchissent le seuil.

Fût de colonne richement décoré d'entrelacs feuillagés

Embrasure sculptée dans un grès tendre

PAR LA FENÊTRE ENTROUVERTE

Une fenêtre est une ouverture qui laisse passer la lumière, et parfois l'air, tout en protégeant des températures extrêmes. Avant la mise au point des vitrages, ces fenêtres étaient fermées par des peaux de bêtes puis des volets en bois. Autrefois, leur petite taille permettait de se garder des grandes chaleurs comme de la neige. Elles sont, par ailleurs, de bons indices pour dater un bâtiment : au cours du Moyen Âge, elles augmentent en taille jusqu'à devenir larges et ouvragées à la Renaissance : les plus grandes étaient entourées de détails ornementaux parmi lesquels des colonnettes. De nos jours, certains immeubles sont totalement vitrés.

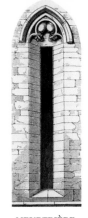

EN PLEIN CINTRE
Les bâtis de fenêtres ne jouent pas uniquement un rôle structurel, ils sont aussi l'occasion d'un décor. Cet encadrement de baie en plein cintre, du XIIᵉ siècle, est profondément sculpté de têtes d'animaux fantastiques. Deux colonnettes, également travaillées, supportent l'arc qui couronne la fenêtre.

MEURTRIÈRE
Une ouverture verticale et étroite, dépourvue de vitrage, permettait aux archers de tirer sur d'éventuels assaillants tout en restant protégés.

TROIS EN UNE
Au XIIIᵉ siècle, les baies des églises prenaient souvent la forme de triples lancettes. Un larmier les couronnait pour les protéger de la pluie.

UN ÉCRAN CONTRE LE SOLEIL
Dans les maisons traditionnelles des régions chaudes, particulièrement en Inde et au Moyen-Orient (ici à Sanaa, au Yémen), le verre est souvent remplacé par des panneaux de bois ajourés, appelés transennes ou moucharabiehs. Ils laissent entrer l'air et la lumière tout en dispensant une ombre fraîche à l'intérieur des pièces. En outre, des volets sont fermés dès la fraîcheur nocturne. Dans les pays islamiques, où l'art figuratif est exclu, les motifs géométriques décorent les moucharabiehs, très populaires, qui forment le principal ornement des façades.

Pièce de verre en losange commune à l'époque où l'on ne produisait que de petits carreaux.

Barlotière en plomb pour maintenir le carreau en place

Dormant en fer forgé

Loquet en fer forgé

Seul ce verre n'est pas d'origine ; il a été remplacé dans les années 1930.

L'HEURE DE LA SIESTE
Ici à Madrid, en Espagne, comme dans d'autres pays méridionaux, les volets ajourés sont fermés aux heures les plus chaudes de la journée. Derrière, les fenêtres restent ouvertes pour permettre à l'air de circuler afin de rafraîchir les pièces qui restent dans l'ombre.

PRÊTE À POSER
Exactement comme une porte, un battant de fenêtre pivote sur des gonds. Celle-ci, fabriquée en Angleterre au XVIᵉ siècle, possède son propre dormant, particularité inhabituelle pour l'époque puisque les gonds étaient le plus souvent fixés directement dans le mur.

Le larmier sculpté se termine par deux têtes.

LE RÉSEAU
Vers 1250 naissent les lancettes surmontées d'une ouverture circulaire, puis de plus en plus complexe. La structure sculptée qui les compose (réseau) date de cette époque.

BAIES DE PIERRE
Au fur et à mesure que les réseaux de baies deviennent plus ouvragés, la variété des formes ne cesse de s'accroître. Celui-ci a été réalisé en 1277.

CHEZ LE PHARMACIEN
Cette façade, presque entièrement ouverte par des fenêtres, est celle d'une pharmacie de Lemgo, dans le nord de l'Allemagne, construite en 1612. La frise présente six des plus grands herboristes, médecins et alchimistes de l'Antiquité. Les architectes de la Renaissance ornaient fréquemment les façades de frises ou de peintures aux thèmes mythologiques grecs.

Le pignon chantourné est influencé par l'architecture des proches Pays-Bas.

Décor sculpté

FLEURS EN BOUTON
Durant le XIVe siècle, les réseaux devinrent encore plus complexes. Cette fenêtre est entièrement ornée de boutons, un motif décoratif floral sculpté.

Acrotère décoratif

Fronton

Pilastre

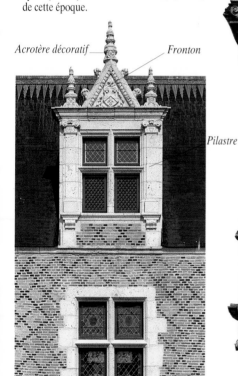

Les hautes fenêtres étroites sont caractéristiques de la Renaissance dans le nord de l'Europe.

Frise sculptée en façade, ornée des bustes de médecins célèbres

Colonnette ionique. Celles de l'étage supérieur sont corinthiennes.

UNE ARRIVÉE IMPRESSIONNANTE
Deux fenêtres surmontent l'entrée principale du château de Chamerolles, dans le Loiret. Toutes deux rectangulaires, elles sont caractéristiques de la Renaissance française. De chaque côté de la lucarne, des pilastres sculptés reprennent l'ordonnance de l'ordre ionique ; un fronton triangulaire la couronne, décoré d'acrotères en forme de candélabres. Tout ceci indique la position sociale élevée du maître de maison.

L'IMPÔT SUR LES OUVERTURES
Fin juillet 1652, une assemblée de bourgeois, présidée par le duc d'Orléans, se tint à l'hôtel de ville de Paris pour imposer une taxe sur les portes, adaptée à leur taille. Depuis la fin du Moyen Age et jusqu'à l'orée du XVIIIe siècle, chaque administration fiscale décida d'une taxe sur les ouvertures. Ainsi le nombre et la dimension des ouvertures étaient-ils des signes extérieurs de richesse, différents selon les régions. Cet ancien impôt direct fut supprimé en 1925.

LES VITRAUX FONT JOUER LE SOLEIL

Au Moyen Âge, les vitriers mirent au point une technique de réalisation de vitrages à l'aide de petits carreaux de verre. Ils perfectionnèrent l'art de teinter le verre en fusion avec des colorants chimiques et produisirent une gamme très riche. Ces carreaux teintés se prêtaient parfaitement à la composition de véritables tableaux, d'autant plus que des détails pouvaient être repeints en surface. Depuis lors, le vitrail fut mis en œuvre pour des fenêtres décoratives, aussi bien dans les églises et les bâtiments publics que dans les maisons particulières.

VERRE SOUFFLÉ
Des souffleurs de verre du XVᵉ siècle insufflent de l'air dans des boules de matériau en fusion, à l'aide de longs tubes, pour former des bouteilles. La fabrication des carreaux se faisait sensiblement de la même façon : une boule de verre était soufflée à l'intérieur d'un cylindre, puis coupée et façonnée en rectangle avant refroidissement.

MOIS APRÈS MOIS
Ce vitrail du XVᵉ siècle fait partie d'une série illustrant les mois de l'année. Ici, un paysan moissonne.

Carreau dit en
cul de bouteille

Fenêtre à bâti en acier, vers 1915

DÉFAUT DE QUALITÉ
En aplatissant une moitié de boule de verre en fusion, on obtient des carreaux à motif en « cul de bouteille ». Les techniques anciennes de fabrication ne permettaient pas de réaliser des surfaces régulières ; ces effets involontaires sont aujourd'hui parfois imités.

Couleur verte obtenue avec du bioxyde de cuivre

La teinte bleue est due au cobalt.

Le rouge provient de l'oxyde de cuivre.

Vitrail de la cathédrale d'Augsbourg, représentant Osée, un prophète de l'Ancien Testament

UN BOUQUET DE LUMIÈRE
Les vitraux de la cathédrale de Chartres, qui vient de fêter son huitième centenaire, comptent parmi les plus beaux vitrages médiévaux conservés. Ils couvrent près de deux mille trois cents mètres carrés, dont la grande rosace ci-dessus, et datent du XIIᵉ et XIIIᵉ siècles. Particulièrement destinés aux édifices religieux, ils produisaient une lumière caractéristique aux bleus riches et aux rouges flamboyants.

FLEUR DE VERRE
Au XIXᵉ siècle, les maîtres verriers qui créaient des vitraux se sont inspirés des techniques du Moyen Age. Ils employaient des petits carreaux de verre pour composer des dessins.

L'ART DU VITRAIL
Ces vitraux de la cathédrale d'Augsbourg, en Bavière, datent de 1130. Ils ont été créés selon des techniques inchangées pendant plusieurs siècles. Tout d'abord, l'artiste dessinait un motif sur une table blanche. Il taillait les morceaux de verre teinté aux formes requises et les posait sur son dessin. Ensuite, il peignait les détails sur les carreaux, qui étaient alors cuits au four. Pour finir, les pièces retournaient sur la table pour être liées avec des barlotières en plomb.

Daniel, un prophète de l'Ancien Testament

Carreau (pièce de verre) coupé à la forme exacte de la main de Daniel

Une traverse divise les deux parties principales de la baie.

Des barlotières de plomb séparent les carreaux de verre.

Les barlotières sont soudées à chaque jointure.

Les espaces qui subsistent entre verre et plomb sont obturés à la cire pour assurer une meilleure étanchéité.

Certains détails sont peints sur la surface du verre.

David, le deuxième roi hébreu

ABSTRACTION COLORÉE
Les artistes contemporains exploitent les riches coloris du vitrail pour réaliser des compositions abstraites. Celle-ci se trouve à Thula, au Yémen, où la violente lumière du soleil projette des rayons multicolores dans le bâtiment.

PRIS DANS LA PIERRE
Depuis des millénaires, au Moyen-Orient, on fabrique des panneaux ajourés, ou à transenne (p. 48). Cet homme emploie toujours la même technique pour réaliser un vitrail dont les carreaux sont inclus dans un panneau à transenne en pierre.

LA DERNIÈRE TOUCHE

Une fois que la structure (le gros œuvre) d'un bâtiment est achevée, que les portes et les fenêtres ont été posées, de nouveaux corps de métiers interviennent. Le plâtrier égalise les surfaces des murs, orne parfois corniches et plafonds. Il peut également enduire les murs de terre extérieurs pour les imperméabiliser ou les décorer. Le peintre achève la finition des murs. Dans le cas d'édifices prestigieux, il lui arrive de composer des fresques. D'autres métiers nobles concourent à l'aménagement final intérieur et extérieur. Le sculpteur sur bois réalise des frises, des reliefs ou des panneaux sur hourdis (p. 55). Le serrurier, en posant les ferronneries aux différentes ouvertures, apporte la touche finale.

Eléments décoratifs moulés en plâtre, XVIIIᵉ siècle

Lattes de bois clouées sur la charpente

Couche de plâtre grossier sous une première couche de plâtre de Paris, piochée pour mieux adhérer à la seconde

Deuxième couche de plâtre de Paris, mise en place sous forme liquide avec une palette rugueuse

Troisième couche de plâtre de Paris, étalée avec soin à l'aide d'une palette lisse en métal

STUC EN STOCK
Composé de plâtre mêlé à de la résine et à de l'huile de lin, le stuc était un des matériaux de décoration les plus en vogue au XVIIIᵉ siècle. Le mélange se faisait à chaud, au bain-marie. Ensuite, on le moulait pour lui donner sa forme décorative. Une fois sec, le stuc était plus résistant que le plâtre et pouvait être utilisé pour l'ornementation des cheminées.

Moule en buis

Moulage en stuc

LES YEUX LEVÉS
Le plâtre est le matériau idéal pour la réalisation de plafonds moulés. Il permet toutes les fantaisies : des dessins géométriques, aux figures humaines ou zoomorphes, comme dans ce décor de plafond de la fin du XVIIIᵉ siècle.

Moule en bois, XVIIIᵉ siècle

DANS LE PLÂTRE
Le plâtre résulte du calcaire cuit puis pulvérisé. Certains additifs, comme le sable, augmentent son degré de résistance. Dans le passé, on y a parfois ajouté du crin ou du crottin. Aujourd'hui, il s'agit plus couramment de ciment. Le plâtre le plus fin, appelé plâtre de Paris, a du gypse pour matière première.

Moulage en stuc destiné à une cheminée

VIVE LES COULEURS !

En Extrême-Orient, les toits des temples sont souvent le lieu d'une éclatante débauche de couleurs. A Kyongju, en Corée du Sud, les poutres et les dragons du temple de Pulguksa sont sculptés, et peints d'un audacieux mélange de bleus, de rouges et de verts.

*Modillon
en plâtre moulé*

*Denticule
en plâtre moulé,
à la grecque*

LA RENAISSANCE DANS LE PANNEAU
Le XVIe est le siècle d'or du décor peint.
Ce panneau fait partie d'un plafond
en plâtre moulé, puis peint, du château
de Kalmar, dans le sud de la Suède.

TOUT VOIR EN PEINTURE

Dans de nombreux bâtiments antiques, la couleur recouvrait les murs extérieurs, et intérieurs pour éclaircir les pièces sombres. Les enduits à la chaux (mélange d'argile, de calcaire et de sable) étaient employés sur les façades des maisons médiévales. Les édifices plus prestigieux étaient parfois décorés de peintures murales. C'est le cas des grandes maisons romaines et des églises du Moyen Âge. Certains étaient réalisés « à fresque », c'est-à-dire peints sur un enduit frais : la couleur teintait la masse et se conservait durablement.

QUELLE CORNICHE !

Il était d'usage de mettre en place par étapes les corniches ornementales, comme celle du XVIIIe siècle, ci-dessus. Il fallait tout d'abord que le plâtrier clouât des lattes de bois sur le mur. Il appliquait ensuite une première couche de plâtre grossier, mêlé de crin, afin d'obtenir une parfaite adhérence. Pas moins de trois couches de plâtre fin de Paris égalisaient la surface et permettaient l'élaboration de détails décoratifs.

DE LA GRAVURE AU MUR

Les panneaux de remplissage en plâtre des maisons à structure en bois étaient généralement blancs mais, à l'occasion, ils servaient de support à un décor peint, comme dans le hourdis du XVIe siècle, ci-contre. La pièce était entièrement couverte de peintures de ce type. Les poutres recevaient un traitement semblable. Plutôt que de jouer sur les couleurs, le peintre exploitait l'art du trait, à l'instar des graveurs de l'époque.

SCULPTÉ DANS LE GIRON
Un escalier est fait d'un certain nombre de marches. Vues de profil, celles-ci forment à chaque extrémité un triangle qu'il est facile de décorer. Ici, la volute feuillagée se trouve dans une maison du XVIIIᵉ siècle. Quand ce genre de sculpture tomba en désuétude, les profils d'emmarchement ne furent plus habillés que d'un coffrage plein.

Volute feuillagée

L'ART DU BOIS SCULPTÉ

La sculpture sur bois, lorsqu'elle complète un bâtiment, est tout à fait remarquable. Elle est devenue rare, du fait de la spécialisation extrême du métier, ainsi que du coût et du temps qu'elle nécessite. Cependant, du Moyen Âge au XIXᵉ siècle, cet art a été en vogue car il a permis des finitions d'un grand effet. Le sculpteur apportait des pièces travaillées en atelier mais intervenait aussi sur place pour sculpter des poutres, par exemple. Les cheminées et les portes étaient des emplacements de choix pour le bois sculpté. Parfois la pièce était habillée de lambris.

UN MONSTRE SUR LA CHEMINÉE
La cheminée et la hotte qui la surmonte sont des éléments marquants de l'aménagement d'une pièce et le prétexte à de superbes décors. Dans les maisons du XVIᵉ siècle, les hottes sont souvent des panneaux pleins, parfois sculptés. Parmi les thèmes figurés les plus courants on trouve des blasons, des armes, des devises, des divinités grecques ou romaines, et des animaux fantastiques, tel ce monstre marin à grandes écailles.

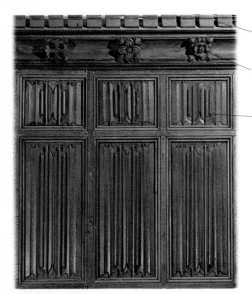

Denticule

Fleur stylisée

Panneau à décor de plis

Feuille d'acanthe d'ordre corinthien

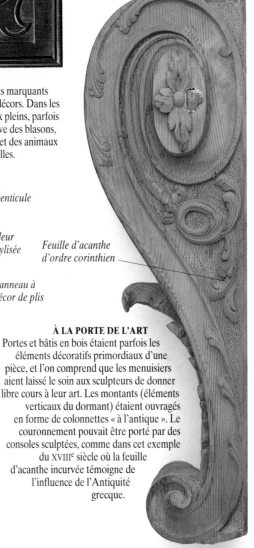

À LA PORTE DE L'ART
Portes et bâtis en bois étaient parfois les éléments décoratifs primordiaux d'une pièce, et l'on comprend que les menuisiers aient laissé le soin aux sculpteurs de donner libre cours à leur art. Les montants (éléments verticaux du dormant) étaient ouvragés en forme de colonnettes « à l'antique ». Le couronnement pouvait être porté par des consoles sculptées, comme dans cet exemple du XVIIIᵉ siècle où la feuille d'acanthe incurvée témoigne de l'influence de l'Antiquité grecque.

PRENDRE LE BON PLI
Les lignes serrées verticales évoquant les plis soignés d'une toile sont les motifs à la mode de la fin du XVᵉ et du XVIᵉ siècle. La réalisation de tels panneaux demandait un temps considérable et beaucoup plus de bois que pour des panneaux ordinaires. Ils n'existent que dans les pièces de réception des demeures les plus riches.

Vue de profil   Vue de face

LE GARDIEN DU MANOIR

Le château de Stokesay, en Angleterre, est un manoir fortifié. Commencé au Moyen Age, il fut agrandi au XVIIe siècle. L'un des angles de l'aile la plus récente, à structure en charpente, est orné d'une tête encadrée par deux hippocampes. La longue barbe en forme de fougère et la chevelure de feuilles la font ressembler à une gargouille médiévale (p. 59).

NI VU, NI CONNU

Quand un mur en plâtre sèche autour d'un dormant de porte en bois, il se rétracte légèrement et un écart se forme. On le dissimule sous une baguette moulurée en bois, appelée couvre-joint. Celui-ci, à simple bouton en angle, est caractéristique de la fin du XVIIIe siècle.

CONSOLEZ-LA

La construction spéculative (bâtir pour revendre) devint très courante dès le début du XVIIIe siècle. Aujourd'hui, cette pratique correspond aux chantiers rapides et la décoration est laissée au soin de l'acquéreur. Mais, au XVIIIe siècle, ces immeubles étaient aussi décorés que les hôtels particuliers, comme en témoigne cette console d'encadrement de porte en bois sculpté (ci-dessous).

Poteau d'angle

Motif floral doré

Tête feuillagée

PETITS MAIS JOLIS

Les petits éléments décoratifs sont parfois aussi efficaces qu'une débauche de sculptures. La tête feuillagée et le motif doré qui la surmonte sont des formes caractéristiques du décor anglais de la fin du XVe et du XVIe siècles. Ils ornent une cheminée en bois sculptée en 1485.

Bois décapé pour dégager la sculpture d'origine

La plinthe a été peinte tardivement.

DÉPOSER UNE PLINTHE

Des fissures se produisent souvent à la jonction entre le sol et les murs. Elles sont dissimulées par des plinthes tout autour de la pièce. Celle-ci fut sculptée dans les années 1850.

UNE FAÇADE SOPHISTIQUÉE

Sur les maisons en pan de bois les plus ornées, des panneaux supplémentaires ont été rapportés aux hourdis en brique, ou en torchis, pour augmenter la surface offerte à la sculpture. Ce panneau à motifs en éventail décore une maison de Lemgo, en Allemagne.

IL Y A DU BEAU MONDE AU BALCON

Un balcon offre la possibilité de prendre l'air sans quitter la maison. Il permet de jouir d'une vue tout en restant à proximité des agréments et du confort intérieurs. Il peut aussi accueillir des personnalités quand celles-ci veulent être vues de tous et ainsi afficher leur position dominante : monarques saluant leurs sujets ou ecclésiastiques bénissant les fidèles. Comme les balcons forment saillie par rapport aux façades, ils exigent des solutions architecturales spécifiques. Ils reçoivent également un traitement décoratif particulier : sculptures, soutiens par des consoles et clôtures par des balustrades en ferronnerie.

OH ! HISSE
En général, un balcon en bois est assemblé à part, y compris ses supports, avant d'être mis en place. Une fois l'ensemble positionné sur le mur, son poids se porte principalement sur ses montants.

Console en volute

Maçonnerie en brownstone

VUE SUR PARC
Ce balcon de la fin du XIXe siècle donne sur Riverside Park, l'un des espaces verts de New York. Une lourde et unique console en volute, décorée de feuilles d'acanthe, supporte son seuil en pierre et lui permet de surplomber la façade. S'il n'est pas très spacieux, il l'est toutefois suffisamment pour que l'on s'y tienne et y jouisse de la vue.

Feuillage contourné de style Art nouveau

Balustrade en fer forgé dit de style « nouille »

Feuille d'acanthe

Balustre en bois peint

Console en volute

CLASSICISME CUBAIN
Les balustres tournés qui portent la barre d'appui ainsi que les acrotères et figures sculptés qui couronnent ce balcon de La Havane, à Cuba, ne sont pas sans rappeler l'architecture de la Renaissance en Europe. Mais le décor peint, dont les couleurs sont avivées par le soleil des Caraïbes, est, en revanche, caractéristique de cette région du globe, tout autant que la dimension de la fenêtre, qui permet d'aérer largement la maison.

L'ART DU FERRONNIER
Les architectes du style Art nouveau, au début du siècle, firent largement appel au fer forgé en raison de sa malléabilité qui lui permettait de s'adapter parfaitement à leurs dessins basés sur la courbe et la ligne. Le balcon est l'emplacement idéal pour déployer des ferronneries sur une façade. Celui-ci se trouve à Lima, au Pérou, et sa console en pierre est sculptée dans le même style (ci-dessus).

DENTELLE DE FER
Les anciennes maisons du quartier de Paddington à Sydney, en Australie, disposent de balcons sur plusieurs étages. Ils offrent un gain de place et permettent de profiter, tout en restant à l'ombre, des heures les plus chaudes de la journée. L'extraordinaire travail de la ferronnerie qui habille ces demeures les rend tout à fait particulières : appuis complexes, colonnes, arcs et balustrades sur le degré de l'entrée.

DENTELLE DE BOIS
Les maisons en bois du Moyen-Orient sont souvent couvertes de panneaux aux motifs géométriques, de parties ajourées (moucharabiehs) ou de faux arcs. Les oriels (bow-windows), comme celui-ci, au Caire, en Egypte, forment un support idéal pour une décoration sculptée remarquable. Les volets et les transennes préservent l'ombre fraîche, indispensable dans les pays chauds.

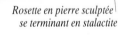

Auvent débordant protégeant du soleil

Console sculptée portant l'auvent

Colonnette cannelée

DENTELLE DE PIERRE
Le balcon de ce temple du Rajasthan est orné de sculptures en pierre, comme la plupart des temples indiens. Placé très au-dessus du sol, il offre une vue imprenable sur le désert environnant et permet à la foule assemblée à l'extérieur de suivre la cérémonie qui s'y déroule.

Rosette en pierre sculptée se terminant en stalactite

Console en pierre

Larmier sculpté

UNE ENTRÉE REMARQUÉE
Un porche tel que celui ci-contre, à Washington, aux Etats-Unis, offre un abri aux personnes qui entrent ou sortent de l'édifice. Mis en valeur par son décor, d'élégants supports sculptés portant des arcs en bois, il indique très clairement qu'il s'agit de l'entrée principale.

DANS LA VÉRANDA

Si le porche est en général de taille modeste (simple retrait devant une entrée offrant un abri), la véranda arrive, quant à elle, à prendre des proportions considérables. Aux États-Unis, c'est un véritable espace à vivre qui entoure parfois complètement la maison pour former une galerie couverte.

« SWEET GEORGIA »
Le porche en avant-corps à deux niveaux de galeries est particulier aux grandes demeures des Etats du sud des Etats-Unis, ici en Georgie. C'est l'élément fort de la façade, le signe de l'importance et du rang des propriétaires de la maison.

L'AUVENT SOUS LE VENT
Sous le large auvent de cette véranda du Connecticut, en Nouvelle-Angleterre, une famille dispose d'assez d'espace pour travailler ou se détendre. L'une des extrémités, vitrée, protège du vent.

LOTUS ÉGYPTIEN

Les plantes qui poussent au bord du Nil ont fourni la principale source d'inspiration des architectes de l'Egypte ancienne. Ces carreaux de céramique sont ornés de fleurs de lotus, un des motifs, avec le papyrus, les plus communs.

LES DÉTAILS DU TEMPS QUI PASSE

Les éléments décoratifs d'un édifice marquent sa finition, et leur style donne les indices pour le dater. En Occident, les modes d'ornementation ont beaucoup évolué au cours des siècles ; il est facile de distinguer une palmette de la Grèce antique d'un motif feuillagé du gothique médiéval. Il faut cependant se méfier des imitations, comme le style néo-gothique au XIXe siècle. En Chine et au Japon, en revanche, le répertoire décoratif a connu de longues périodes de stabilité ; il est impossible, pour un œil non averti, d'évaluer l'ancienneté d'un bâtiment. Parfois, le décor ne concerne que des points précis (portes ou fenêtres), mais il peut aussi se déployer sur la totalité de la construction, comme c'est le cas pour les mosquées habillées de céramique.

Caricature d'un roi

PALMETTE GRECQUE

Ce fragment architectural grec, en marbre, est profondément sculpté d'une frise de fleurs de lotus et de palmettes. Il provient de l'Erechthéion, un des temples de l'Acropole d'Athènes.

Feuille stylisée

Frise de doucines affrontées : alternativement concaves et convexes

Abaque : partie supérieure du chapiteau

Volute

Moulage en plâtre d'un chapiteau corinthien

ACANTHE CORINTHIENNE

Les Romains reprirent à leur compte la plupart des motifs décoratifs des Grecs et principalement leurs trois ordres (pp. 32-33). Mais le feuillage sculpté de ce chapiteau corinthien se rapproche autant des feuilles de l'olivier que de celles de l'acanthe traditionnelle.

Feuille d'acanthe

CHAPITEAU BYZANTIN

Les sculpteurs de l'Empire byzantin ont réalisé certains des plus beaux édifices de l'histoire de l'architecture. Ce chapiteau (à droite), au superbe décor feuillagé, se trouve dans l'église Sainte-Sophie, devenue mosquée puis musée d'Istanbul, en Turquie.

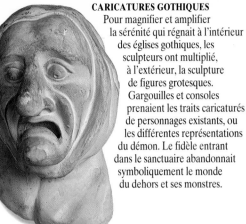

CARICATURES GOTHIQUES

Pour magnifier et amplifier la sérénité qui régnait à l'intérieur des églises gothiques, les sculpteurs ont multiplié, à l'extérieur, la sculpture de figures grotesques. Gargouilles et consoles prenaient les traits caricaturés de personnages existants, ou les différentes représentations du démon. Le fidèle entrant dans le sanctuaire abandonnait symboliquement le monde du dehors et ses monstres.

Diable aux oreilles
de chauve-souris

Homme
couvert d'un béret

Moine sous un capuchon

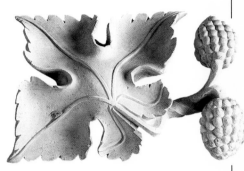

FRISE DE FRUITS

A l'origine très stylisés, les motifs feuillagés des arcs et des chapiteaux gothiques devinrent de plus en plus réalistes avec le temps. Comme l'illustre cette feuille de framboisier (château de Sully-sur-Loire) inscrite dans un rectangle, le motif devait parfois se plier à des contraintes de format.

« RENAÎTRE », DIT L'ART

Les artistes de la Renaissance ont expérimenté une large gamme d'éléments décoratifs nouveaux. Le panneau de pierre sculpté, ci-dessus, comprend des animaux tels que la licorne ou le singe et des végétaux stylisés.

PARADIS BAROQUE

Les plafonds baroques du XVIIe siècle représentaient souvent le paradis, ou du moins la vision qu'en avait l'artiste ! C'était en général un ciel au bleu limpide, parsemé de nuages cotonneux et peuplé d'aimables chérubins ailés. Une fausse perspective accentuait l'effet de contre-plongée et de trompe-l'œil. C'est au peintre italien Baciccia que nous devons ce plafond à fresque.

CHEVRONS ROMANS

Le style roman, identifiable à ses arcs en plein cintre, ses voûtes en berceau et son emploi modéré de sculptures, a marqué la première partie du Moyen Age européen. Les motifs en chevrons étaient l'un des ornements les plus usités dans le décor des portails, des arcs et des encadrements de fenêtres (ci-contre).

DES FLEURS POUR L'ART NOUVEAU

Les maisons du début du siècle, de style Art nouveau, sont décorées de courbes sensuelles et de motifs floraux. Les carreaux de majolique (céramique italienne aux couleurs vives) sont fréquemment employés pour réveiller les façades. Cet immeuble viennois a été dessiné par l'architecte Otto Wagner (1841-1918).

À LA GRANDEUR DE SON AMOUR
Les artistes indiens les plus fameux furent employés à la réalisation des marqueteries de pierres de couleur qui ornent les murs du Taj Mahal. Ce mausolée de marbre blanc fut élevé entre 1631 et 1641 près d'Agra, en Inde, par un empereur pour son épouse.

L'ORIENT FIGURATIF

Des pays tels que l'Inde, la Chine ou la Thaïlande possèdent des styles architecturaux très différents les uns des autres, avec chacun un répertoire décoratif particulier.
En Chine, par exemple, les dragons – associés à l'image de l'empereur – sont fréquents, ainsi que les fleurs (chrysanthèmes, pivoines) et les formes géométriques (octogones, cercles). Ces décors s'adaptent à toutes les différentes parties d'un édifice, depuis les tuiles du toit jusqu'aux tentures en soie des murs. L'art indien, quant à lui, dispose de plusieurs styles ornementaux. Ces derniers s'appliquent aux statues complexes et aux frises des murs des temples hindous, aussi bien qu'aux marqueteries de subtiles compositions florales de marbres et de pierres précieuses.

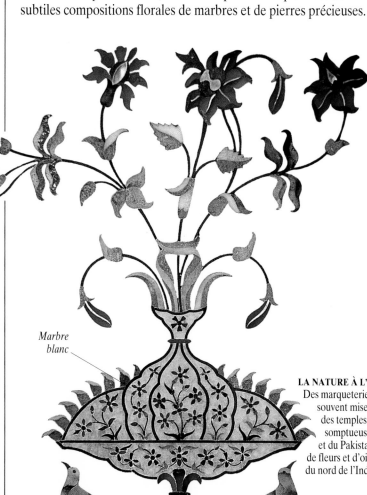

Marbre blanc

Détail en agate rouge

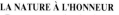

C'EST LE BOUQUET À BANGKOK !
Certains temples bouddhiques de Bangkok, en Thaïlande, disparaissent littéralement sous les décorations. En dehors des multiples figures de Bouddha, ils sont couverts de mosaïques florales, certaines en relief, réalisées avec des fragments de porcelaine de couleur.

Fleur de porcelaine de couleur

LA NATURE À L'HONNEUR
Des marqueteries de pierres fines sont souvent mises en œuvre dans le décor des temples, des palais et des plus somptueuses demeures de l'Inde et du Pakistan. Cette composition de fleurs et d'oiseaux provient du nord de l'Inde.

À CHEVAL SUR LE TOIT
Le toit est la partie la plus ornée d'une maison chinoise. C'est là que ce cavalier barbu en céramique se trouvait durant la dynastie des Qing (1644-1911). Les détails sont relevés de glaçures de couleur verte, jaune et brune.

*Arc polylobé
animant le mur*

*Ces arcs sont, en fait, des arcatures
aveugles purement ornementales.*

LES ARCS DES ROIS MAURES
L'Alhambra (jadis le palais des califes
d'Espagne), à Grenade, est décoré selon
les canons islamiques traditionnels :
entrelacs, sculptures descendant du
plafond telles des stalactites et arcs
outrepassés. Ces derniers, avec leurs
découpes complexes (polylobés,
ci-contre), sont courants dans
l'architecture islamique
en Espagne et en Afrique
du Nord.

**CARREAUX
COPIES CONFORMES**
Ces carreaux de céramique,
de forme carrée, ne sont qu'un
échantillon de panneau mural.
Ils ont été fabriqués à Iznik,
le plus important centre de
production de Turquie, au cours
de la seconde moitié du XVIe
siècle. Motif floral et couleur
bleu vif sont particuliers aux
céramiques de cet endroit.

*Rouge spécifique
des céramiques turques
de la fin du XVIe siècle*

L'ISLAM ABSTRAIT

Dans la mesure où la religion islamique interdit à l'art
toute figuration réaliste, les édifices sont décorés de motifs
abstraits, géométriques pour la plupart. S'ils évoquent parfois
des fleurs ou des feuillages, ils sont très stylisés. Le motif le
plus noble est la calligraphie de versets du Coran. En général,
l'ornementation a pour support la céramique, dont les
carreaux se prêtent bien aux motifs répétitifs caractéristiques
de l'art islamique. Avec leurs couleurs merveilleuses et leurs
formes variées (du carré à l'étoile), ces carreaux sont parmi
les plus recherchés.

L'ART A LA PAROLE
C'est le cobalt qui a donné à ce carreau
d'une mosquée du début du XIVe siècle
sa belle couleur bleue. La calligraphie qu'il
présente est tirée du Coran. Elle est
légèrement en relief pour se distinguer
de l'arrière-plan feuillagé. Pour être lus,
ces carreaux étaient généralement placés
à hauteur des yeux des fidèles.

CONSTRUIRE AUX LIMITES DE L'IMPOSSIBLE

Le choix du site est primordial dans la construction d'un édifice. Il doit être d'accès facile, propre au nivellement et à l'établissement de fondations. Mais d'autres critères conduisent quelquefois à se tourner vers des emplacements moins adaptés : un piton rocheux peut offrir une bonne défense et un marais se révéler une source d'approvisionnement en poisson. Quant aux premiers habitants de Venise, ils s'établirent au centre de la lagune pour échapper aux attaques des barbares qui avaient envahi l'Italie. Les bâtisseurs doivent faire preuve d'ingéniosité pour créer des structures adaptées. La main-d'œuvre pose parfois problème pour acheminer les matériaux. Ailleurs, il suffit de trouver une solution technique, comme les pilotis pour construire dans les marécages.

LA CITÉ LACUSTRE
Venise est établie sur des îlots au centre d'une lagune. Les maisons sont bâties sur des pieux de chêne rouvre, ou de mélèze, profondément fichés dans le sable et l'argile du fond. Les fondations en pierre d'Istrie résistent ainsi à la corrosion de l'eau saumâtre. La ville est traversée par un réseau d'une centaine de canaux et par une multitude de ruelles reliées entre elles par plus de quatre cents ponts.

LE BALCON PERCHÉ
La construction sur des pitons rocheux avait souvent un but défensif. Après le Moyen Age, l'introduction de la poudre à canon et l'évolution de l'art guerrier firent que la défense des édifices particuliers s'avéra moins essentielle. Les fenêtres s'élargirent et on vit apparaître des balcons en bois, comme ceux de Cuenca, en Espagne (ci-contre).

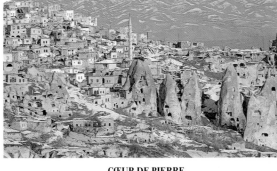

CŒUR DE PIERRE
Dans le vent de la montagne et des plateaux inhospitaliers du centre de la Turquie, la pierre tendre et la terre ne restent pas longtemps ! L'érosion a laissé de gigantesques rochers en cône dont certains ont servi de carrière (la plupart des maisons sont en pierre) et d'autres d'habitations troglodytiques.

Balcon sculpté, en surplomb

Mur défensif en pierre

LA CHUTE DE L'HISTOIRE
Certaines régions du globe sont particulièrement exposées aux séismes. Ci-dessus, à Santa Rosa, en Californie, une maison en bois s'écroule pendant le terrible tremblement de terre de 1906. Les immeubles modernes à structure métallique – dans les pays suffisamment riches pour pouvoir les construire – présentent une parade à ce cataclysme.

JE VIS SUR PILOTIS
Sous les tropiques, beaucoup de maisons sont bâties sur pilotis ; ainsi à Port Moresby, en Nouvelle-Guinée (ci-dessus). Leur structure moderne s'appuie sur des fondations traditionnelles de troncs entiers. Ce système présente deux avantages : garder libre une terre précieuse et faciliter aux pêcheurs l'accès à la mer.

MARÉES... CAGES À TRÉSORS !
Le sol sur lequel s'est établie cette ville de Caroline du Nord est constitué d'îlots reliés entre eux par des chaussées. Ce marécage offre la fertilité de la terre et la proximité de la mer, donc de ses ressources. Les terrains doivent cependant être protégés des caprices de l'eau par des digues.

Transenne
ajourée
préservant
de la chaleur

Palais
en pierre

Parapet ornemental
offrant un magnifique
point de vue

Piton
calcaire
produit par
l'érosion
éolienne

ÉLEVER UN PHARE
Un phare est, par définition, érigé dans un endroit dangereux, comme un îlot rocheux en pleine mer. Le rocher est, en lui-même, une bonne base pour fonder un tel édifice, mais il n'est pas aisé d'y apporter les matériaux de construction et encore moins d'y établir un chantier !

AU PLUS HAUT DE SA FORME
Trois raisons au moins ont motivé la construction sur des pitons rocheux. La première était d'ordre militaire : l'occupant, à l'abri, voyait son ennemi venir de loin. La deuxième attribuait aux rochers un caractère sacré. La troisième était aussi d'ordre symbolique : elle exprimait la noblesse en exposant le maître des lieux aux yeux de tous. C'est le cas du prince propriétaire du palais d'été de Wadi Dahr, au Yémen (ci-contre).

NOTES

Dorling Kindersley remercie: J. Buckley; G. Durrant; D. Morgan; M. Atcherley; P. Cooke et Mme I. Kempster de Athelhampton House, Angleterre; S. Penn du Avoncroft Museum of Buildings, Angleterre; J. Beamish et A. Hills du British Museum, Angleterre; Ch. Brooking et P. Dalton du Brooking Collection of Architectural Detail, Université de Greenwich; C. Woodward du Building du Bath Museum, Angleterre: 52cg (collection privée), 52-53h (Saint-Blaise Ltd); le Doyen et le Chapître de la Cathédrale de Canterbury, Angleterre; C. Crook; R. Dupront, Château de Chamerolles, Chilleurs-aux-Boix; la Paroisse de County Council et A. B. Manning, Kilpeck, Angleterre; C. Scull et N. Grigg du Sir John Soanes Museum; Mlle Debaque et R. Bobet, Château de Sully, Sully sur Loire; A. West du Thatching Advisory Service; C. Zeuner, B. Powell et R. Champion du Weald et Downland Open Air Museum, Sussex; H. D. Joosten du Westfälisches Freilichtmuseum, Detmold, Allemagne; R. Shipton du Woodchester Mansion Trust; H. Spiteri et D. Pickering pour leur aide éditorial; S. Spencer, S. St Louis, I. Finnegan, K. Poynor, Aude van Ryn et S. D'Angelo pour leur aide graphique; G. Harvey pour leur recherche iconographique;

Maquettes: Chaume (30-31) réalisé par P. Lewis; Rose Tudor (18-19) gravée par J. Vans; Illustrations de R. Harris: 20g; J. Lewis: 9bd, 24-25; J. Woodcock: 34m Photographies additionnelles: M. Alexander: 6md; G. Brightling: 13m, 16mg, 32-33, 34bd; P. Chadwick: 8-9; P. Hayman: 12-13b, 58hg; A. Hills: 27md, 42-43, 60bd; M. Micholls: 58mg; M. Moran: 56hg; G. Ombler: 34hg, 35, 47, 48hg, 59bg; H. Taylor: 16-17; Index de H. Bird